東大式節約勉強法

世帯年収300万円台で東大に合格できた理由

布施川天馬
［東京大学文学部4年］
Tenma Fusegawa

JN063232

東大式節約勉強法　新書化にあたって

僕が『東大式節約勉強法』を世間に上梓してから、はやくも2年ほどが経ちます。そもそものきっかけは、2020年3月にネット記事のインタビューを受け、それをご覧いただいた当時の編集長から「ぜひお話を」というお誘いをいただいたことでした。あの時は、まさか自分が本を書いて出版することになるとは思ってもおらず、大変緊張しながら扶桑社さんのあるビルへ向かったことを覚えています。

今ではこの本の出版をきっかけに、ネット記事の執筆や全国の学校での講演など様々なお声がけをいただけるようになりました。大変ありがたいことです。

たいていの記憶は2年も経てば色あせていくもので、町並みは変わりますし、近所で駆け回るちびっこは見違えるほど大きく成長していることでしょう。ですが、**ここで紹介している勉強法の数々は未だ大きく変化せず、僕の中心軸として、支え続けてくれています。**

勉強には大変なお金がかかります。学ぶための道具、学ぶための環境作り、師が必要ならその人件費……これらを充実させようと思えば、ざっと数えるだけでも年間で数十万円以上の出費となるでしょう。

しかも、時間だって大量にとられてしまいます。社会人ならば、仕事に役立てるために勉強しようとしても勉強のせいで仕事に支障が出るなんて本末転倒。多くの時間を割《さ》けるものではありません。ですが、ある程度の時間をかけないと、勉強の結果はなかなか出ず、すっかり悪循環に陥ります。

こういった性質のおかげで、勉強は大変つらく苦しいものだと思われがちです。話を聞くところによると、「苦労しない勉強は勉強ではない」と言い出す人すらもいるとか。得たものの量で勝負しなくてはいけないのに、勉強時間の量で勝負するなんて、そんな心持ちでは勉強しても結果が出るはずもありません。

むしろ、勉強はひたすら楽をして行うべきものです。ただでさえつらく苦しいものなのだから、その負担をわざわざ真正面から背負ってやる必要はないでしょう。そうではなくて、どうすればできるだけ楽をしつつ、よい結果を得られるだろうと考えるほうが、人生にとってずっと得になると思いませんか？

今回の新書化にあたり、勉強したり学んだりした内容を、どうやって経験として明日の自分へと伝えていくのか、という観点から**「復習の方法」についての章を加筆しました。**年を経るにつれて、きっと勉強というよりも、日々の経験からの学習という観点においての活用が多くなるかと思いますが、復習という概念からはいくつになっても逃れられるものではありません。今日よりも明日の自分が強くなれるように、そのトレーニングをより効率よく積むための方法論です。ぜひお試しいただけますと幸いです。

おそらく、新書になると読まれるのは社会人の方々が多くなるかと思います。みなさまからみれば、まだまだ未熟な身ではありますが、僕の勉強法がなにかみなさまの日々の活動の助けになれば幸いです。

はじめに

世帯年収300万円台から東大合格への挑戦！

「さぁみなさん！　頑張ってゲームをクリアしましょう！　でも初期装備や初期アイテム、所持金、ステータスなどは全部運次第で、リセットもセーブもできない一発勝負だからよろしく」

こう言われた時に、みなさんはどのようなリアクションを取るでしょうか。そんなクソゲー、やりたくない！　と怒る人もいれば、そういう仕様なのだから仕方がないと諦《あきら》める人もいるでしょう。しかし、これが現実に大きな影響を及ぼすゲームだとしたら？

受験勉強はゲームです。これは僕が東京大学に合格するまでに強く感じたことですが、普通のコンピューターゲームとは異なっている点が2つだけあります。

1つは自分以外のたくさんの人が同時に参加してくること。とはいえ、これは最近増えてきたいわゆる「バトルロワイヤル」系のゲームにも通じますから、この点については最近の子なら無理なく受け入れることができると思います。しかし、もう1つの点はそうはいかないでしょう。

もう1つの異なる点は「各人でスタート地点が異なること」です。RPG（ロールプレイングゲーム）だったら所持金と所持アイテムが人によって異なる。レースゲームならスタート地点や能力が異なる。先程言ったバトルロワイヤル系のゲームなら人によって装備と残機数が異なる。こんな仕様を分かっていて出したなら、そのゲームは間違いなくクソゲーです。ゲーム会社は即倒産、アマゾンレビューには☆1つの低評価が付きまくるでしょう。しかし、現実にはこのクソゲーはまかり通っています。**お金のある人ならば良い教育を受けられるが、お金のない人たちは自分の努力でこの差をひっくり返さなければならない。**東大卒にお金持ちのエリートが多いのはこのためです。事実は逆で、**お金持ちのエリートだから東大に入ることができた。**

僕の家庭は世帯年収が３００万円台でしたが、僕のような貧乏世帯出身者は、裸一貫の無課金で重課金者に殴りかからなければなりません。中高と通っていた学校は私立高だったので、学費全額免除の特待生待遇を維持し続けなければ即退学という厳しい条件が家庭内では課されていました。また、浪人中は週に3日アルバイトをして学費補助にあてていました。

しかし、無課金者には無課金なりの戦い方というものがあります。それは「節約」です。

ところでみなさんは、「節約」というと何を思い浮かべるでしょうか。

　おそらく多くの人は「お金を無駄遣いしないこと」、すなわち「金銭の支出を必要最低限の出費に抑えること」というように考えたでしょう。節約は多くの人が実践している知的な、禁欲的な行為です。多くの人にとって、お金を使うこと（そしてその先にある享楽を得ること）は抗《あらが》い難い楽しみでありますから、節約は、どんな理由で行うにしろ、これに真っ向から反対することであると言えます。

「お金以外にも節約という考えが通用する」と考えられた方はいらっしゃるでしょうか。例えば、「時間を節約する」なんて言葉もよく聞きます。これは「無駄な時間を過ごすことをやめ、最低限の時間で仕事を行う」という時に用いられる表現です。

　このように、お金にしろ時間にしろ、節約をするといった場合には「必要最低限の量で抑える」ということを表現します。

ここまでお読みになって「節約」という言葉にマイナスなイメージを持たれた方も多いかもしれません。実際、十分な余裕があるのであれば、多くの人はためらいなくお金を使うでしょうし、時間をつぎ込んで何かを成し遂げようとするでしょう。

裕福な家庭が「勝ち組」になる構図

しかし、「節約」という言葉が叫ばれる現代であるからこそ、その重要性に気付くことができるとも言えます。

例えば現代社会ではネットワークインフラの整備がさらに整い、現行の4G回線を上回る5G回線を用いた超高速通信網が整備されつつあります。その中で、私たち現代人の持つ時間の価値は年々相対的に上がっていると言えるでしょう。1秒あたりに送受信することのできる情報量とその精度が上昇しているためです。これは数百年前、数千年前には全く考えられなかったことで、まさに画期的極まる時代を生きていると言えるでしょう。

そのような現代社会において、「無駄」に集まるヘイトはますます多くなっています。**無駄を嫌う現代人にとって、「節約」は火急の要件**であるのです。

これは受験勉強においても同じことが言えます。学習指導要領は年々変化していますが、現代の受験生は、数十年前のそれとは比べものにならないような大量の知識を詰め込むことを要求されています。そのような莫大な量の知識を入試本番というリミットまでに消化しきるためには、やはり膨大な時間と努力が必要となります。

さらに、その影響からか子供の教育にかかる費用も年々上昇しており、例えば東京大学のような一流大学に進学する子供を輩出する家庭の多くは、やはり一般家庭に比べても裕福であることが調査によって知られています。**教育投資を行い続け、子供に勉学を積ませ続けた家庭こそが、勝ち組として東京大学を筆頭とする有名大学群に自らの子供を入れることができるという構図**が完成しかかっています。

「全てに欲張りでいられるための」勉強法

けれども、それで本当に良いのでしょうか？　そもそも1人の学生としては、受験云々《うんぬん》よりも部活動に打ち込みたい人もいるでしょうし、恋愛を楽しみたい人もいるでしょうし、総じて青春を謳歌《おうか》したいという人も多いはずです。

ここで紹介していく勉強法はズバリ、**「最低限必要なことを最高効率で実践する」をメインテーマとして据えた肝煎《きもい》りの学習方法**です。恋も遊びもスポーツも、全てに打ち込みたい学生が喉から手が出るほど欲しがったであろう、「全てに欲張りでいられるための」勉強法です。**そのために実践することはただ1つ。「徹底的に必要なことを厳選し、それのみを最大限効率が良い方法で吸収する」ということだけです。**さらに、この本を取って欲しい方は何も受験生に限りません。社会人になっても色々なやりたいことがあるでしょう。例えば転職のため、昇進のために仕事をしながら資格試験に合格しなければならないといったシーンもあるかもしれません。しかし、仕事が疎《おろそ》かになっては本末転倒で、たまには家族や恋人、友人と遊びにも行きたいし、勉強もしたい。そんな思いを抱えた方にもオススメできるのがこの勉強法です。繰り返しますが、実践することはただ1つ。「徹底的に必要なことを厳選し、それのみを最大限効率が良い方法で吸収する」ということのみです。

必要なことを厳選する「合理化」と最大効率でこなす「効率化」

今の時代、多くの参考書、予備校、映像授業などなど学習をサポートしてくれる媒体は無数に存在します。それらをうまく活用し、最短ルートで合格への道を駆け上っていただければと考えております。

僕はいわゆる「非進学校」から一浪して東京大学に進学した人間ですが、そんな人間から見ると、最短ルートで東京大学に進学した彼らの時間の使い方には常に一定の価値観があるように思えます。それは、その時間が自分の得になるか損になるかを常に測っているということです。ある程度優秀な人間が集まっていく東京大学ですが、**恐らくこの本を東大生に見せても「なんでこんな当然のことを書いているの？」と言われてしまうくらいに、彼らにとって時間やお金の節約ということは常識的な感覚なのです。彼らが賢いのは、先天的な才能ではなく、こういった節約術をうまく使って自分の使える時間を最大限有効活用しているからなのです。**ですから、この節約術を学んでいくこと自体が、賢くなるための近道と言えるでしょう。

ただし、ただ単にお金をケチって、時間を削ったというだけでは「節約」とは言えません。それは単なる「合理化」であり、「節約術」ということはできません。

ですから、ここで紹介していく方法は２つ。**１つは、無駄なお金や無駄な時間を使わない「合理化」の方法。**これが「必要なことを厳選する」ということにあたります。そして、

もう1つは余ったお金や時間でさらに効率を上げるための「効率化」の方法。これは「最大効率でこなす」ということにあたります。

これら2つを合わせて「節約勉強法」と呼ぶことにします。お金も時間も「節約」することが可能であることはこれまでの例でみなさんもよくご存じのはずです。

みなさんも是非最後までお読みになって、あらゆるものを合理化して効率化していく節約勉強法を実践してみてください！

目次

第2章 4つの「時間」の無駄を削る

第3章 「最高効率」で実践するための5つの方法

第4章 「思考を最適化」する2つの方針

第5章 「もしも」で振り返り、未来に活かすメソッド……235

第1章　「お金」を節約するために最低限必要なこと

「お金がない」ことほど歯がゆい悲しみはない

「お金がない」。恐らく誰しもが人生の中で一度は発するセリフでしょう。何かが欲しくても買えない。これほど歯がゆい悲しみは他にありません。この時の不足額が数千円とか一万円だったら諦《あきら》めが付きますが、コンビニのレジで数十円小銭が足りなくてキャッシュレス決済に急遽切り替える時の気持ちは、なんとも言い難いものがあります。

僕はゲームが大変好きでして、趣味としてよく遊ぶのですが、ゲーム中にお金がないことに悩まされることもあります。ゲームと現実世界とで異なることは、特にＲＰＧなどでは敵を倒せばある程度の収入が約束されることです。これは万年金欠の学生としてはありがたい仕組みだと思う半分、ゲームの中の世界の人々はリアルに命をかけているわけですから、むしろ薄給、もらって当然の対価であるとも言えましょう。

ゲーム内ならちょっとのボタン操作で手軽にお金を稼ぐことができますが、現実だとそうはいきません。ある程度の時間、ある程度の労働をしなければ、お金をいただくことはできません。お小遣いを浪費していた過去の自分を恨んでも最早《もはや》遅いのですが、もしタイムマシンができたら真っ先に中学生の自分のもとへと駆けつけてこう言うでしょう。「お前は金を浪費しがちなんだから、とにかく節約して、貯金しろ！　10年後のゲーム機の性能は半端じゃないぞ！」と。

そう、**お金は使ったら減るものです。**だからこそ、使う量を減らして、余った分をどこかに貯めなければなりません。**貯金の意義は、纏《まと》まったお金を未来の自分に渡すということにあります。ある意味自己投資の一種とも言えるでしょう。**では、節約は？

「攻めの節約」と「守りの節約」

節約は自己投資ではないのでしょうか。「節約家」というと世間一般の方はどのようなイメージを抱くでしょう。堅実そう、真面目そうといったところでしょうか。たしかに、節約というと主婦や主夫の方々が家計のためにヒィヒィ言いながらやっているようなイメージがします。若いうちから倹約している人は、僕の周りにはあまり思い当たりません。でも、節約にも「攻めの節約」と「守りの節約」があるって知っていましたか？

そもそもお金の節約とはなんでしょうか。「お金を節約する」ということは、無駄なお金を使わないということですね。ただ、本書で言う節約は、例えば家計簿をつける時に言うような「節約」とは少し違ってきます。お母さんやお父さんの言っているような「節約」は、**「（勝手に）出ていくお金を減らす」という方向での節約**です。

これに対して、本書で考えていく「節約」は、**「これから出すお金を少なくする」という意味での節約**です。前者は「出さざるを得ないお金を減らす」というものですが、後者は「出すお金を減らす」というもので、支出が受動的なものか能動的なものかという点で違っています。

前者の、家計簿的な意味での「お金を減らす」のほうは、どちらかというと第2章で紹介する「時間の節約」に近い考え方となります。この場合の「お金」は生活費などが含まれますが、「時間」と同じく、どうしてもすり減っていってしまうものですから、こちらの節約は「いかにして無駄を減らしていくか」ということが重要となります。

対して後者のほうの節約は、極論使わなくてもよいものへの支出ということですから、こちらは**「いかにして支出をゼロに近づけていくか」**ということが重要になります。前者は究極ゼロにできませんが、後者はできるという意味で、節約の方向性が違ってくるわけです。

まともに予備校に通えば100万円以上かかる現実

さて、そうなると考えなくてはいけないのは、「なるべく少ないお金で最大限の効力を得る」ということです。もちろん、自習に使うお金は今の時代ゼロでもやっていけることはやっていけると思います。しかし、この場合には図書館に通ったりインターネットで情報を収集したりするための労力や時間などがかかりますから、費用がゼロである代わりに効率も非常に悪いと言わざるを得ません。

これに対して、塾や予備校、通信教育などの教育事業者を頼るのはどうでしょうか。確かにこちらはキメ細かいテキストや蓄積された指導経験などから手厚いサポートを受けることができるでしょうが、その代わり、往々にしてこういったところに通うには大金がかかります。

例えば、河合塾、駿台予備校などの大手超有名予備校に通おうとした場合を考えてみましょう。まず、入学手続きの際に入学金として10万円が、授業料としておおよそ60万から80万円ほどの費用がかかります。これだけで年間の授業を受講することはできますが、大体の場合は夏期講習、冬期講習にかかる費用が別にかかってきます。

この講習代は1講座で1万5千円から2万円ほどしてしまいますので、必要不可欠のものだけとったとしてもワンシーズンで5万円から10万円かかると思われます。予備校によっては年間の授業だけでは教科書範囲の学習が完結せず、このシーズンごとの特別講習まで含めて年間のカリキュラム完成ということにしている学校もありますので、実質半強制的に受講することになる場合さえあります。

ここに追加で交通費や、必要があれば模試受講費用も追加されるので、**まともに予備校に一年通おうと思ったら100万円以上のお金がかかってしまいます。**ですから、効果の程はともかくとして、節約という意味では全く許容できません。金銭的な問題から実際に通えないような環境にいる人も多いと思います。それでは一体何を使って勉強すればよいのでしょうか。

参考書だったら最低18807円あれば揃う

僕の経験から言うと、本を使って勉強するのが、一番効率が良いです。もちろん初学者にとって本から入るのはとっつきにくいような印象を受けることは分かっているのですが、最近の参考書は初学者向けに大変分かりやすく作られているものも多くあります。ですから、これについては印象で決めつけるには早すぎて、実際に本を見てみなければ分からないだろうと思います。

なぜ**本を使って勉強するのが一番効率が良いと考えるのかというと、本は比較的安価であるのに加えて、自分のペースで学習が進められるからです。**ライブ授業の場合には、授業の完成までに、どうしても人件費や設備費などを計上しなくてはならなくなるので、お金がかさんでしまいますが、本の場合は著者が本をしたためれば授業の完成となるので、大変安価に質の良い授業を受けることが可能となります。さらに、授業の場合には先生の話すペースで進みますから、なかなか自分の思うように学習をすすめることはできず、どうしても受動的になってしまいます。

これに対して、本の学習の場合には、自分のペースでページを捲《めく》っていけるので、分かったところは飛ばし飛ばしで、分からないところはじっくり読むといったように、自分の好きなように授業を受けることが可能になります。これは本の学習が半能動的であるから可能なことで、授業を受講していては受けられない大きなメリットになります。ですから、ここでは本を使って勉強するということを中心に考えていきたいと思います。

僕の場合は各教科について必要だと思われる参考書を厳選し、選びぬいた本を1冊だけやり通すという方法を考えました。もちろん一口に受験参考書と言っても値段はピンからキリまでありますが、高くても3000円を超えるものは少ないです。なので、塾や予備校に通うよりも安価に済ませることができます。

先日、僕が元々使っていた参考書を揃えなおそうとした時に、一体いくらで揃えることができるのかという検証を行ってみました。ネットショッピングやフリーマーケットアプリを最大限活用し、最安値で揃えることを目指したところ、なんと**1807円で揃えなおすことが可能**であるということが判明しました。

もちろん現実にはそこまでうまくはいかないでしょうが、参考書を揃えて学習するだけでも、予備校に通うという選択肢と比較すれば、たったこれだけで年間で百万円以上の節約が可能になりました。また、僕の学校の進路指導室には卒業生から寄贈された貸出用の受験参考書もあったので、これも大いに活用させていただきました。

とはいえ、一概に本と言っても色々ありますし、あれもこれもとたくさん買っていては結局出費が増えてしまいます。ここでお金を節約するためには、まずは自分に合った本を見つけなければいけません。そして、その選んだ本1冊だけを**「心の友」**として勉強をすすめていくという姿勢が重要になります。
　今回は「お金の節約」として、自分に合った本を1冊だけ選び抜く方法を考えていきたいと思います。

ただたんに「英語の参考書を買おう」ではダメな理由

「なるほど！　節約して勉強するには本を使って勉強していけばいいんだな！　そうと決まれば善は急げだ、本屋に行くぞ！」と思われたそこのあなた、もうちょっとだけ待ちましょう。ここまでを読んで「とりあえず本屋に行こう」と思った方は、恐らくなんとはなしに「英語の参考書を買おう」だとか「数学の参考書がほしい」だとか、そういった思いがあるのだと思います。しかし、本当にそれだけでいいのでしょうか？

そもそも、あなたは、なんのためにその本が欲しいのでしょうか？　苦手な教科の補強がしたいから？　元々得意な教科をさらに伸ばしたいから？　ある教科の中の特定の分野を集中して補強したいから？　これらのうち、どの目的があって買いに行くかで、手に取るべき本は変わります。

実際の本屋に行くと分かりますが、一口に参考書と言っても最近は種類が大変豊富ですから、何も考えずに本屋に行っても右往左往するはめになってしまうでしょう。せめて、最低限「こんな本がほしい」だとか「こういう本は評判が良いと聞いた」くらいの選ぶための情報は欲しいものです。

ですから、まずは本を買いに行く前に**「自分の目的は何で、何をするために本を買いに行くのか」**ということをしっかり自覚しましょう。恐らくこれは多くの人が出来ていると思いがちですが、しっかりと細部まで詰めていくことが重要です。つまり「数学ができないから数学の本を買いに行こう」「英語ができないから英語の本を買いに行こう」では駄目だということです。

今述べた例ではなぜ駄目なのでしょうか？ それは、「該当する範囲が広すぎるから」です。例えば先程述べたとおりに数学の対策をするために数学の参考書を買いに行くとしましょう。

一般に数学の勉強と言っても、数学の中にはたくさんの分野があります。その中で、自分が一体何をしたいのか、例えば**「確率がよく分からないから確率について集中的に教えてくれる本を買いに行こう」**なのか**「数学の全分野を基礎から浚《さら》いたいから公式や解説が**

丁寧に載っている本を買いに行こう」なのか「**数学の力試しがしたいから、問題の質を重視した問題集を買いに行こう**」なのか、これらの目的によって買うべき本が全く変わってくるのです。

英語についての例もこれと全く同じことが言えて、「自分の英語力不足の原因はこれだ！」という確信がなければ、全く見当外れの場所を補強して終わってしまうことになります。

そもそも英単語の知識量が少ないのならば英単語帳を一冊買ってきてまるまる覚えられるように努めるべきでしょうし、英文法の知識があやふやなら優しい文法書を購入しなければなりません。簡単な英文なら読めるけれど難しい文章になるとちんぷんかんぷんになるなら、少し難しめだけれども解説を読めばギリギリ分かる程度の英文解釈の参考書を探して買ってくるなど、想定できる状況とその解答が多すぎるのです。

ここで自分の目的にそぐわない本を購入してしまうと「なんだか期待はずれだったなぁ」という印象を持って、また新たな本を買い直すことになります。これはお金についても時間についても全くの無駄です。

「目的」の存在しない勉強は時間の無駄

基本的に勉強は手段でしかありません。たまに勉強それ自体を目的としているような受験生の人がいますが、もし受験勉強が趣味でないのならば、これは少し間違った考え方をしています。

ある勉強をするのは何か分かりたいことが存在しているからで、それを分かるための手段として勉強が存在しているわけです。**極端な話を言ってしまえば、もし元々の能力で志望する大学に合格するだけの力を備えているのであれば、受験勉強なんて一切行う必要はないわけです。受験勉強は別に高尚なものではなく、単に「志望校のレベル」と「今の自分のレベル」のギャップを埋めるためのドーピングであるにすぎないからです。**

しかし、たまに「頭を良くするために頭を良くする」という人がいます。このような受験勉強の本質を見失ってしまい手段と目的を取り違えてしまった人は、大抵の場合成績が伸びません。なぜなら、勉強は解決するべき問題を連続して解決し続けることを指すためです。連続してタスクを処理し続けることこそが勉強の本質とも言えます。

ですから、目的の存在しない勉強というものは、全くの時間の無駄です。弱点を補強し続けるという本来の任務を見失うということは穴の空いたバケツの穴を塞《ふさ》がず、水を汲み続けているようなものだからです。

弱点を補強すること、そのために弱点を把握することこそが勉強するうえで最も大切なことであって、自分が一体何を分かりたいのか、何が分からないのか、何を分かる必要があるのかなどをしっかりと自覚したうえで、それではどのような対策を立てればその弱点を補強することができるのであろうかと考えることが有効な手段の模索に繋《つな》がります。手段と目的の取り違えは意外とよく見受けられますから、これについては十分に気を付けましょう。

「自分の理想を把握する」重要性

僕が小学校の頃、運動会の種目に「運命レース」というものがありました。名前はなかなか大仰《おおぎょう》ですが、基本ルールは普通の50メートル走と変わりません。それでは何が「運命」なのかと言えば、ピストルの音がなる度《たび》にスタートとゴールが入れ替わるのです。つまり、用意ドン！　で走り出した後にピストルの音が鳴ると、一転してこれまで背を向けていたはずのスタート地点がゴールとなります。その後にもう一度鳴るとまたスタートとゴールが逆転し、鳴る度に入れ替わり、入れ替わり……というようにゴールするまでどちらがゴールか分からないというゲームでした。

正直、ピストルを持っている人のさじ加減で勝者が決まってしまう部分はあるので、脚が速い子にとっては面白くないゲームだったと思います。ですが、僕のような足の遅い子でも勝つことのできるという意味ではなかなか考えられたゲームではないかとも思っています。

ただし、実際に走るのは大変でした。目的に向かって走る度に「これは本当にゴールでよいのだろうか、途中で身体を反転させるためにある程度手を抜いて走ろうか」といったような迷いが生じるからです。これは完全にピストルを持った人との駆け引きでした。そういった意味で本来の徒競走とは全く異なる性格を持った競技であると言えます。

このように、迷いに迷わされるのは「適切かつしっかりとした目的が設定されていないから」です。普通の競技なら、例えば徒競走であれば「ゴールまで走り抜ける」だったり、玉入れであれば「時間内に多くの球をかごに入れる」だったり、何かしらの目標というものが設定されています。この目標を最大限満たすことができるように行動していけば、勝敗はともかくとして「ベストを尽くす」ことができます。

しかし、先程述べた「運命レース」では如何《いかが》でしょうか。このレースは一定時間ごとに目標が変わります。しかも全く正反対の方向に伸びた２つの目標を両立させるというのですから、大変な労力が必要となります。

これは勉強にも言えることで、**適切かつ揺らがない目標を持って勉強しなければ、何も身につきません。**糸の切れたタコのように、あちらへフラフラ、こちらへフラフラと漂っていても、何も身につくことはないのです。それは、勉強もまた目標を立てて達成していくことの繰り返しであるからでしょう。

それでは、一体どのようにして自分の目的と一致するような本を見つけ出せばよいのかと言うと、ズバリ**「自分の理想を把握する」**ことが大事になります。

「悩みから逆算」し、自分の思考を具体的にするプロセス

これについてのキーワードは**「悩みから逆算していく」**です。そして、その悩みは「自分の望みを１００％叶えてくれるようなもの」というようにセッティングしましょう。で

すから、解決する対象である自分の中の悩みについて、一度具体的に「言語化」してあげるという作業が必要になります。もっと言うと、**自分の悩みを一度紙に書きつけましょう。**

言語化するというのは思考を具体化するうえで非常に重要なプロセスです。例えば、中学生や高校生の頃に国語の問題を解いた時に「自分もこういうことを思ってたのに！」という解答を書いたのにバツを食らった、もしくは、選択肢式の問題に突き当たった時にどれもこれも同じような答えに見えてしまって正解が絞りきれなかったということはありませんでしょうか？　これは自分の思考の具体化がうまくいっていなかったからです。

国語の問題というものは巧妙なもので、良い作問者は「だいたい受験者はこういう〝感じ〟で読むだろう」ということをしっかり読み切ったうえで、「なんとなくしか分かっていない人」は落ちてしまうけれども「自分の思ったこと、読み取ったこと、言いたいことをしっかり自分の言葉で言える人」なら迷わずに答えられるような問題を作ります。

後者の人間ならば選択肢の中の微妙な誤差や、自分の言いたいことの確信に気づいてうまく解答を仕上げられるのですが、曖昧《あいまい》な「なんとなく」の解答像から脱却できていない人には、フワッとした解答しか書けなかったり、理解が曖昧だからそれぞれの選択肢の違いに気づくことができず、全部同じに見えてしまったりするわけですね。

　このように、**自分の思考というものは主観的には非常にクリアに思えるのですが、その実、大変不安定かつモヤモヤとしたもの**であって、往々にしてこれには全くと言っていいほど実態が伴っていません。ですから、**自分の学習のうえでの悩みを適切にあぶり出すためには、頭の中で思っているだけでは不十分で、実際に言葉としてこの世に解放してやる必要**が出てくるというわけです。

　なお、これは「出力」できればどのような形でも構わないので、紙に書きつける以外にも、人に話すだとか、ひとりごとを録音してみるだとか、そういったことをしても構いません。大事なのは、自分の思考を具体的にしてやるというプロセスです。

「欲求の具体化」＝「悩みの具体化」

　例えば、昔は僕もよくやったことなのだろうと思いますが、今でもスーパーやゲームショップなどに行くと、小さい子供が床に座り込んで泣き崩れている様子を見ることがあります。彼ら（彼女ら）の主張はだいたいこうです。「どうしてもこれが欲しいから買ってくれ」。非常に明快かつシンプルな主張で僕はとても良いと思います。けれどもこれで物を買ってもらえる子供はどちらかと言えば少数派でしょう。なぜでしょうか。

それは、彼らの取る手段に問題があります。当然ながらスーパーやゲームショップなどには他のお客さんもいますから、完全なる公共の空間です。ですから、ある程度周りの人々に対して配慮した行動をすることが求められます。どんな人にも世間体というものがありますからね。これに対して、上記したような手段での抗議は、最早自爆テロと言っても相応《ふさわ》しいレベルの暴挙です。

交渉というものは普通「私にこれを提供してくれれば、あなたはこれだけ得をします」という形でしか進みません。脅迫も、「私にこれを提供すれば、あなたはこれだけ損失を免《まぬが》れます（相対的に得をします）」というように進められます。いわば、子供にとっての「泣き」は「私にこれを提供しなければ、あなたは社会に迷惑をかけてしまいますよ」という一種の脅迫なのですから、おもちゃが欲しいのであれば伝家の宝刀である「泣き」を解禁するより前に、「買わないなら今ここで泣くけどいいのか？」と脅しをかけたほうが成功する確率は高くなるのではないでしょうか（それが良いことかどうかはさておき）。

さて、なぜこのような話をしたのかと言えば、手段と目的の取り違いを説明したかったからです。例えば、赤ちゃんは泣くことでしか自分の悩み、すなわち危機や不安を表現することができません。また、幼稚園入園前後の子供でも、相当口が達者な子でなければ、「自分はこれこれこういうわけでこの玩具が欲しいのだ」と説明することはかなわないでしょう。なので〝自爆テロ〟に走るわけです。

しかし、それでは周囲の人々はなぜそのように泣いているのか、なぜそれが欲しいのかなどが分かりません。「欲しい」だけでは理由になりません。それだけではただのむき出しの欲求です。大事なのは、その欲求の根本をなしているであろう理由の部分なのですから、「友達がみな持っていて仲間はずれにされてしまいそうだから欲しい」とか「見たことのないお菓子だから味がとても気になるので食べたい」というように、なぜかを具体的に説明するべきなのです。

普段はあまり意識されないことかもしれませんが、この**欲求の言語化こそが、勉強などの仕事を進めていくにあたって一番重要なこと**になるのです。なぜならば、先述した通り、勉強は「英語がもっとできるようになりたい」や「数学がもっとできるようになりたい」といった欲求を満たす手段だからです。

先程の例で言うならば、勉強は「おもちゃ」で「お菓子」です。先立つ欲求を満たすために行うものであって、それ自体が目的である場合は少ないでしょう。逆に言えば、あなたが欲求を満たすために行わなければいけないことは、「欲求の具体化」であり、ここでは「悩みの具体化」にほかならないということです。

「思考の解像度」を上げる

ここからは思考の言語化を用いて、実際に具体的な教科にまで落とし込み、実際に悩みを具体化してみましょう。例えば数学や英語、国語などで悩みを具体的にする時はどのようにすればいいでしょうか。

まず、どのような**悩みを設定する時にも必要なのが、「客観的な現状把握」**です。客観的なというのは、つまり模試や定期テストなどの成績から現状を把握するようにしましょうということです。

ありがちなのが「僕は○○が苦手だから〜」という印象から悩みを設定することなのですが、しかしいくら自分が苦手に思っていてもテストで点が取れていれば、それは客観的にみたら得意ということですし、逆に自分がいくら得意に思っていてもテストで点が取れなければ、それは苦手ということになってしまいます。ですから、くれぐれも、自分の印象で決めつけないようにしましょう。

ここで客観的なデータを元に現状が把握できたら、次に自分をどのように改善していきたいかを考えてみます。すなわち、「数学が苦手」とか「英語が得意」とかのボヤけた現状把握から、徐々に具体的な階層へと降りていき、大雑把《おおざっぱ》な事象から細かい事象へと思考の照準をシフトしていくのです。

「数学の二次関数は苦手だけど図形は得意」とか「英文法は得意だけど長文読解が伸び悩んでいる」などに具体化し、さらにここから細かいポイントへと移っていくというように、一度に具体的な思考を完成させるのではなく、数回に小分けにしたうえで、少しずつ**「思考の解像度」を上げる**ことを意識すればよいのです。

先の例で言えば、「数学の二次関数の中でも、特に解の配置問題について全く分からない」とか、「英語の長文読解でも、まず段落ごとに内容をつかめていない」というようにすればよいわけですね。とはいえ、あまり細かくしても参考書がマニアックになってしまいますから、この段階では細かくとも「どの教科のどの分野なのか」あたりまでを鮮明にすればよいでしょう。

「参考書」は「積ん読」してはいけない、いわば「恋人」

「積《つ》ん読《どく》」という考え方があります。これは興味のある本をとにかく手当たりしだいに買い込んで、自分の消化できるペースでゆっくり読んでいくというようなものです。本との出会いは一期一会ですから、もし後悔したくないのであれば、自分が「これは良い！」と思ったのであれば、その本は間違いなく買ったほうが良いでしょう。これはお財布の具合にもよるのですが……。

しかし、こと参考書選びとなったらこれはご法度《はっと》です。人間関係に例えるなら、これは「浮気」です。

普通の本の読み方はどちらかというと「友達」でしょう。それぞれの本は自分が「気に合う」と思ったから購入したのですし、気分が乗らないのなら別に無理をして読む必要はありません。悲しい話ですが、もし読み進める間に「どうやらこいつは自分とは合わないな」と思ったならば途中で読むのをやめて売るなり捨てるなりすればいいですし、なにより何冊も同時並行して付き合うことができます。1冊の親友はできたとしても、別にそれ以外の友人との仲が悪化したり付き合いがなくなってしまったりするわけではありません。

ですから、「積ん読」はうまい友達付き合いの方法なのです。

一方、参考書との付き合い方は異なります。こういった類《たぐい》の本は自分が「これを仕上げよう」と決意して購入するものですから、基本的には最後まで読み切ることが大前提となります。

本を「仕上げる」のですから、それぞれのページをじっくりと確認して、その本が伝えている内容についてを１００％受け取らなければなりません。しかも同じような内容の別の本と同時並行して進めることは大変効率が悪くなってしまいますので、基本的には心に決めた1冊のみをやり抜くことになります。

ですから、**「参考書」は「積ん読」してはいけない、いわば「恋人」**なのです。しかも、ある程度真面目な「重い」付き合い方を要求されます。ですから、その1冊は究極に選びぬかなければなりません。軽い気持ちで好きでもない子と付き合うと互いに大変な時間と労力を費やした挙げ句に破局してしまうように、適当に参考書を選んでしまったが最後、いくらやっても勉強が終わらない不安に無限に苛《さいな》まれ続けることとなってしまいます。

ですので、適切な参考書選びをするためにも、適切な悩みが設定できたら、次はその悩みを１００％解決してくれるような本を考えましょう。自分の今回の本屋探索の目的、例えば「ほぼ全分野の公式を忘れてしまっているので、受験数学の全般的な補強がしたい」などが決まった時に、それを100%カバーしてくれるような本はどのような本でしょうか?

これは人によるでしょうが、僕なら**「公式が全て抜け落ちているのだから、まずは基礎的な演習から始めてくれる本で、さらにできれば大学入試レベルまで網羅できているような本がほしい」**と考えて、**「公式や証明が全て網羅的に掲載されていて、問題のレベルも基礎の基礎から出題されており、かといって難しい問題になると受験レベルに届くものもあるような、解説が非常に丁寧かつ詳細な本」**というように設定するでしょう。

失敗しない参考書選びは、「売れている本」を選ぶこと

別の目的でも考えてみましょう。「基礎的な英文法書は終わったのに問題が全く解けないから、問題のパターン化のために英文法の演習がしたい」という場合にはどうすればいいでしょうか?

この時には「基礎事項は終わっているのに問題が解けない、すなわち理解が足りていいな

い」というように考えて、「英文法の問題集で、特に問題の難易度はあまり気にしないことにする。その代わり問題数がある程度揃っていて解説が非常に丁寧になされており、できるなら問題集よりも解答集のほうが分厚いような問題集」があれば、それが理想として設定できるかと思います。

このように、**思いつく限りかなり詳細なところまで理想を具体化することが重要**です。みなさんが服を買いに行く時には頭の中で「今年の流行りの色をしたカーディガンを買いに行こう」というように、ある程度目的を絞って想像すると思います。これをしなければ目移りしてしまって、ただウィンドウショッピングしているに過ぎなくなってしまうからです。本についてもこれと同じで、自分の理想をなるべく詳細に決めたほうが目的の本を見つけやすくなるのですね。

ですから、本屋に勢い込んで行く前に、まずは落ち着いて自分の目的とそれに最大限一致するような「理想の本」を思い描きましょう。そして、それについて「一番近い」と自分が思ったものを手に取れば良いのです。

本当は本屋に行って中身を見ながら理想の本を探してほしいのですが、何らかの理由で書店に行くのが難しい場合には、ネットショッピングで探すこともできます。この場合には、**その本がどれだけ売れているのか、そしてどれほど評判がいいのか**という部分をチェックしましょう。

当然ですが、何度もバージョンアップを重ねながら長い年月に渡って出版され続けている本は、それだけの理由と売れ行きがあるから出版され続けています。そして、多くの人が手に取ったということは、その本が使われ続けるだけの理由があるということを意味しています。

実際に本を探しに行けない以上、**失敗しない本選びを心がけるのであれば、一番良いのは「売れている本」を選ぶこと**です。売れ続けている本ならば、たとえ本選びに失敗したとしても何らかの形で使うことができるかもしれません。新しく出版された本にも良書は数多くありますが、節約という面から考えるのであれば、長い間親しまれ続けている参考書を購入するほうが安全であると言えるでしょう。

「模試を受けたが英語の成績が悪い」時に買うべき参考書

以下にいくつかサンプルケースとして実際に悩みの把握、具体化から本の設定までを行った例を考えてみます。これから実際に書店へ本を買いに行くとして、考え方の参考にしてみて下さい。

例1

【模試を受けたが英語の成績が悪い】

↓「全体的に点数が取れていない。文法分野での失点も多い」（客観的な分析）

↓「英文法の知識に抜けがあるため、そもそも英文が完全には読めておらず、そのせいで全体的に点が取れない」（悩みの把握・具体化）

↓「文法を基礎からさらってくれる本がほしい」（本の設定）

このサンプルケースは、「ある苦手科目があった時に、どのようにしてそれを解消していくか」ということを想定しています。ここでは英語の例を出しましたが、数学や国語などにも十分応用は可能です。

まず、**当たり前なことを言うようですが、「成績が悪い」ということには「勉強していないから」以上の、何かしらの原因が必ずあります。**

例1では「英文法が頭に入っていないから」としていますが、もし「英語が読めない」のであれば、それは英単語の知識が入っていないか、英文法の知識が入っていないか、もしくは文章に難しい比喩や暗喩が用いられているかの三択です。

これ以外で文章の意味が取れない場合、恐らくその文章に至るまでの状況が掴めていないのでしょうから、おとなしく引き返すか、一旦その文章を飛ばすかして、全体の傾向からその意味を推測していくほうが得策です。しかし、どうやって「自分には文法の知識がない」ということを認識すればよいのでしょうか。

基本的には文法分野の失点数で判断すればよいでしょう。特に学校の期末試験などには文法を問う問題がある程度出る傾向がありますから、そこの失点数で確認するのが一番早いと思います。

しかしこの方法は、例えば共通テストの英語がほぼ全て長文読解で構成されているように、全ての試験問題が同じような形式の場合には使いにくい方法かもしれません。そのような場合には、実際に自分が分からなかった英文を持ってきて判別テストをすることができます。

“Buffalo buffalo Buffalo buffalo buffalo buffalo Buffalo buffalo.”

英文が読めないという人には、僕は**三段階のチェックテスト**を行います。単語や文法の知識があるのかないのかは、やはり主観的には難しいので、ものさしとして「分からない文章」のレベルによってこれを確かめるわけですね。これは日本語の文章に対しても行うことのできる方法ですから、もし分からない文章が出てきてしまったら、試してみてください。

まず、**第一段階**ですが、ここでは**単純に文章を音読**させます。なぜこれを行うのかと言うと、**自信を持って読めない単語は、まず間違いなく知らない単語**だからです。日本語の文章でも知らない言葉は読めないように、知らない単語があったら音読の難易度は急上昇します。逆に全て知っている言葉で構成されているような文章なら淀みなくスラスラと読んでいくことができるでしょう。このようにして、一度音読をしてもらいます。

次に、文章の構造をとらせます。小説や詩の表現などを除けば、基本的にはそれがどんな文章だとしても、それが文法的な間違いを含んでいなければ文法的に分解することができます。例えば、〝I have a pen.〟という英文があったとして、〝I〟は主語、〝have〟は動詞で、〝a pen〟が目的語（〝a〟は冠詞）というようにしてそれぞれにマークを付けることができます。

　今の例だととても簡単に思えますが、例えば意地悪な例を出すと、〝Buffalo buffalo Buffalo buffalo buffalo Buffalo buffalo.〟のような英文の場合には主語や述語、関係詞節の有無や、修飾関係についてなどをしっかりと見極めなければ読むことはできません。ちなみにこの文章は「バッファロー市のバッファローがいじめる（動詞buffaloの意味）バッファロー市のバッファローは、バッファロー市のバッファローをいじめる」というような意味になります。

　このような**一見して読めないような文章でも文法的に正しく分解することができれば読むことができます。逆に言えば、文法的な分解ができないのであれば、その文章が文法的に正しく理解できていないということになりますから、読めるはずもありません。**このようにして、文法的な解釈を行わせることで、間違いがどこにあったのかのチェックを行います。ちなみに、特に英語の場合には語順が厳しく定められているので、これで「主語」や「述語」などのマークが付かないような単語が出てきてしまったならば、その文の解釈はおかしいということになります。

大体の人はここまでで解決します。大抵は英単語の知識不足か、英文法の知識をうまく使えていないだけだからです。しかし**文章の意味が正しく取れているのに、その意味が理解できない**となった場合には、厄介です。

恐らくそこには比喩が使われていますから、その英文が収められている段落全体の意味やその前後の段落の意味、文章全体の意味などから筆者の主張の方向性を見当付けて、比喩の内容と主張とをうまく結び付けなければなりません。

「元々知らなかった」のか、「知っていたのに出てこなかった」のか

さて、前述のような方法で自分は何が分かっていないのかをチェックした時に、どこで引っかかるのかを確認することが、悩みを具体化するためのポイントとなります。英単語が分かっていなかったのであれば、単語帳を入手してそれを1冊やり込む必要があるでしょうし、英文法が分かっていなかった場合には、その文法事項が**「元々知らなかった」**の

か、それとも**「知っていたのに出てこなかった」**のかを確かめなければなりません。

前者の場合は知識を補充する必要がありますから、網羅系の文法参考書を仕上げることが求められるでしょう。一方で、後者の場合には知識があってもそれを正しく使うことができなかったということになりますから、文法の知識を実戦形式で確かめるために、文法問題集や英文精読の参考書が必要になるかもしれません。

このように、一概に文法ができないと言っても対処法には様々あるので、ここは気をつけるようにしましょう。前者の場合には知識に抜けがあるという事例を考えていますが、後者について**「知識がうまく運用できていなかったから」とするのであれば、欲しい本の設定は「解説が丁寧にされている英文法の問題集が欲しい」**というようになるでしょう。

「英語の成績が今ひとつ伸びない」時、どうするか

例2

【英語の成績が今ひとつ伸びない】

↓「単語テストの成績は良い。また文法問題集もほぼ完璧に解ける。ただし長文の読解に

なると読めなくなる」（客観的な分析）
↓「文法までは頭に入っているが、文章を読む時にそれを活かしきれていない。文法事項と文章読解を結びつけることが必要である」（悩みの把握・具体化）
↓「それぞれは短文で良いから、読んでいくうちに文法事項が確認できるような読解中心の問題集がほしい」（本の設定）

例１の場合とは異なり、「**英文法には問題がないが、それから先のステップに進めない」という状況**を想定しています。なお、この例も英語を想定していますが、例えば国語で考えたいのであれば「現代文の予備知識については分かっているけれども成績が上がらない」、また数学で考えたいのであれば「**公式はある程度頭に入っているけれども成績が上がらない**」というような状況が想定されます。

このような場合には、どの分野で多く失点しているのかをよく分析していきます。例えば、英語の単語、文法問題が解けても、長文読解や和訳の段階で手こずっているのであれば、恐らく英文精読の経験が足りていません。英作文で手こずっているのであれば、英語の頻出表現について定型パターンが頭に入っていないのでしょう。

国語で言えば、文章を読んだ気になっていても、深い理解までは至っていない、あくまで受動的な読み手としての態度を崩しきれていないのだと思います。数学ならば、公式の使い方ではなく、公式を使う場面が分かっていないのでしょう。すなわち、適切なタイミングで適当な公式の知識を引っ張り出すことができず、立式に結びつかないというような状況が想定されます。

この例2では英語の文法知識が理解はできていても、目の前の英文と脳内の知識とを結びつけることができていないから英文を読めないのであるという結論に至っています。これは、**「知識は知るだけでは使いこなすことはできない」**ということによります。

知識を習得したての頃は、ある1つの面からしか、その事実を観察することはできていません。しかし、その知識を実際に使っていく、もしくは使われているさまを観察することによって多面的な観察を行うことができ、結果として「物事の深い理解」に繋がります。よく物分かりのいい人のことを「一を聞いて十を知る」といいますが、恐らくこのような人々は初めて聞くような知識に対しても多面的に観察することができているのだろうな、と僕は考えています。

国語は、「要約」を行うと力がつく

せっかくですから、別の例でも考えてみましょう。例えば、国語について先程述べた例2の悩みを持っているような場合にはどうすればいいでしょうか。この場合には**「受動的な読み手」としての態度を無くすように意識することが最善の策**であると思います。

そのために重要なのは、本文の理解に対して、様々な角度から質問を投げつけることなのですが、これを最初から行うのは難しいでしょう。ですから、本文の解説がとても詳しい国語の問題集を買ってきて、本文とその解説をじっくり読み込み、自分の理解と参考書の説明とを比べてみるという方法が役に立つかと思います。

また、できればアウトプットの練習として、少ない字数での要約を行うと力がつくと思います。問題や本文の解説とともに、本文の要約がついているような問題集を選べると良いでしょう。

数学については、いくら公式を覚えていようとそれがふさわしいタイミングで使えないのなら意味がなくなってしまいます。ですから、この場合には単純に問題演習ができるような本が良いでしょう。また、特定の分野だけなのか、数学全般についてなのかによっても変わってきますが、この場合は数学全般についてであると考えます。その場合、何を問題演習に求めるのかによって、さらに本の理想像が分岐していきます。例えば、公式までは分かるけれども計算が苦手で、物量に圧殺されてしまうのであれば、計算力を鍛えるための単純計算に的を絞った問題集（昔勤めていた塾で見たことがあります。古い本でタイトルは忘れてしまいましたが……）にするべきですし、ある程度纏《まと》まった量の文章題を実戦形式で解いていきたいなら、それなりの問題集を選ぶことが重要になります。

本の中に公式や証明が載っているものもあれば、問題と解説だけがひたすら並んでいるものもあります。これらのうちどれを選ぶのかは本人次第なので、必ず本屋で選ぶようにしましょう。

なお僕が使っていた『**青チャート**』は公式や証明などから解説している、いわば数学の辞書のような参考書でしたが、その代わり分厚すぎるうえに、また1題あたりの解説が比較的薄いなど、短所も見受けられました。僕が実際に使っていたり中身を確認した中でおすすめの参考書については後ほど紹介するので、そちらもご確認ください。

数学には、その分野のスペシャリストとも言うべき参考書が存在する

例3

【学校の期末テストで受けた数学の成績が悪い】

↓「出題された分野は確率・場合の数と高次方程式だったが、手応えのあったはずの確率・場合の数が意外とできていなかった」（客観的な分析）

↓「問題を見直してみると、意外とミスが多かった。これらに気が付かなかったのは演習を怠ったからである」（悩みの把握・具体化）

↓「確率について詳しく載っている本で、インプットした直後に豊富な練習問題でアウトプットさせてくれるような本が欲しい。」（本の設定）

この例は、数学特有の悩みについて考えてみました。学校の期末試験には、入試と決定的に違っている点が1つあります。それは、範囲です。基本的に学校の期末試験も入試問題も、それまで学んできた内容を問うための試験です。しかし、学校の定期テストの場合

には、その学期で学んだ内容が中心になるのに対して、高校や大学の入試問題の場合には中学履修範囲あるいは高校履修範囲の全てから問題が出題されます。

後者の入試問題対策については、全範囲をカバーするしかありません。しかし、その中でも決定的にある分野が苦手になってしまうことがあります。あるいは、期末試験を控える中で、その学期に学んだ分野が致命的なまでに苦手になるかもしれません。数学全範囲の中で見ればその中の一分野などは微々たる範囲のように思えますが、例えば微分積分が苦手といった場合にはそれが関わる複合問題までをも落としてしまうことになるため、意外とその被害は広範囲へと及びます、この場合にはどのように対処すればよいのかと言えば、市販の**「分野別参考書」**を使用するのです。

この「分野別参考書」は今では様々な種類がありますが、数学の各分野、例えば確率だったり二次関数だったりといった個別のジャンルについて徹底的に解説し、掘り下げた本です。入試対策という面で考えると、コスパが見劣りすることは否めません。なぜなら、この本を1冊仕上げても、身につくのは数学の膨大な範囲の中のたった一部に過ぎないからです。仕上げるためにかかる時間と比較して考えてみても、効率が悪いのではないかと考えざるを得ません。

しかし、突出して苦手な分野があったり、もしくは学校の定期テストで苦手な範囲が出題されるという時には何よりも役に立ってくれる心強い味方でもあります。何しろ1冊で200ページある問題集もありますから、1つの分野についてそれだけじっくり取り組めばある程度の苦手意識は吹き飛ぶはずです。ある特定分野についてだけ問題演習を行いたいという時にも役に立つかもしれません。

このようにして、**数学には細かい範囲のみを徹底的にカバーした、いわばその分野のスペシャリストとも言うべき参考書が存在しています。**もしも徹底的に弱点を補強したいというのであれば、そのような本を購入するのも良いかもしれません。

社会人になって英語の資格取得のために学び直す必要がある

例4

【社会人になって英語の資格取得のために英語を学び直す必要がある】

↓「学生時代から英語には全く触れていない。当時の成績はまずまずであった。現状勉強に割くことのできる時間は多くない」（客観的な分析）

↓「試験日までに英単語や英文法の知識の再確認と簡単な英文のインプットで手早く学習を終わらせる必要がある」（悩みの把握・具体化）

↓「試験対策に特化した単語帳や、復習に使える文法書、試験対策に特化した問題集がほしい」（本の設定）

この場合では、ビジネスパーソンの方が社会に出た後に英語を学び直すことになった場合を想定して考えてみました。なお想定している人物の学生時代の能力としては、英語偏差値55から60の間くらいとしております。

もしこれよりも学生時代に英語の成績が悪かった、または苦手だったような場合には、インプット作業から始めたほうが最終的な効率は恐らく良くなると思います。ここで想定している本はあくまで一度習った文法事項を思い出すためのものですから、自分の中に一度は定着していないと意味がないものであるためです。

英語の偏差値が50を切ってくるような場合には英単語や英文法の理解が甘いと推測されますから、その場合には先程の例1を参考としたうえで、網羅系で解説が手厚い文法書を購入して勉強を始めるのが良いかと思います。もし文法についてある程度頭に入っているのであれば、ここで紹介していくような本を選んでも問題ないでしょう。

さて、社会人として働きながらTOEICや英検のような試験の対策を行うのは非常に骨の折れることであると思います。ですから、とにかく効率よく単語や文法の暗記を済ませて、英文を読めるようにしなければなりません。

本来なら満足に英文を読んでいくためには、様々な単語を暗記したうえで、十分な量の読解演習を積む必要があります。これは受験勉強の正道ともいえる方法で、英語力を身につけるためにはこれが一番近道になると思われます。ただし、英語力はともかくとして試験に合格すればよいということであれば、その試験に特化した対策を積むという方法が一番楽かつ効率がよいかと思われます。

もちろんこれは受験勉強についても言うことが出来ます。例えば、東京大学には東京大学特有の出題形式がありますし、早稲田大学の各学部には早稲田大学のその学部特有の出題形式が存在します。このようにして各学校、学部にはそれぞれの特色とも言えるような独特の出題傾向などが見られる場合が多いので、過去問などからその傾向や形式を読み取って対策していくということも非常に重要になります。

しかし、資格試験対策の勉強と受験勉強とで大きく異なるのは、前者は基本的にある1

つの目標について勉強を続けていくのに対し、後者は第一志望校以外にも滑り止め校を含む複数の学校について勉強を続ける場合が多いからです。後者の場合には様々な学校を受験する関係上、色々な出題形式に対応できるように、ある程度自分の基礎学力を高めておく必要があります。

一方で、前者の資格試験については基本的にその一点のみを目指して勉強するものですから、試験対策に特化した勉強を積むことが出来ます。もちろん受験勉強のようなオールラウンダーを目指す勉強法のほうが様々なシチュエーションに対応できるようにもなりますから、そちらを目指すに越したことはありません。

しかし、実際のシーンではなりふり構っていられないという方も多いと思いますので、そのような場合には一旦試験の対策に特化した勉強を行ってしまうというのも手だと思います。それに、試験対策に特化すると言っても、その試験が難しかった場合には元々の基礎英語力がなければ対策さえも出来ませんから、最終的にはある程度英語力がついてくるのではないかとも思います。

ＴＯＥＩＣ、英検の試験対策にオススメの参考書

さて、試験対策についてですが、ここでは日本国内で有名なＴＯＥＩＣと英検について考えていきましょう。

まず英文法についてですが、これはやはり全体としてある程度頭に入っていないといけませんから、これについてはなんでも良いので１冊仕上げたほうが良いと思います。僕が実際に使っていた英文法の参考書としては『ＮＥＸＴ　ＳＴＡＧＥ』がありますが、これは１ヶ月から２ヶ月もあれば仕上げられる程度には手軽に取り組める本ですから、これを使われるのも良いと思います。中身については後ほど簡単に紹介しようと思いますので、そちらも参考にしていただければと思います。

さて、試験に特化した対策を積むとなった時に、考えるべきは「どのような形式で出題されるのか」「どのようなジャンルの話題が出るのか」あたりでしょう。問題形式が分かれば必然的にやるべきことも纏《まと》まってきますし、出やすい話題が分かれば、出題される単語の傾向もなんとなく分かってきます。

最近は試験ごとに特化した単語帳があるので、それを使うのも良いでしょう。例えばＴ

OEICだと様々なレベルの単語を纏めて1冊に収録している『**TOEIC　L&Rテスト　基本単語帳**』（研究社）や、フレーズごとの暗記をテーマにしたレベル別単語帳の『**TOEIC　L&Rテスト　出る単特急　金のフレーズ**』『**TOEIC　L&Rテスト　出る単特急　銀のフレーズ**』（どちらも朝日新聞出版社）などが挙げられます。

僕は基本単語帳のほうを購入して使っていますが、使用感としては僕が元々大学受験の時に使っていた『**英単語ターゲット1900**』に似ているような気がします。『金のフレーズ』のほうがよく見かける印象がありますが、どちらも売れている本ですから、どちらを選んだとしてもある程度の品質は保証されています。

とにかく選んだ本を仕上げれば、十分な対策になるでしょう。英検の場合は、各級ごとに対策単語帳として『**でる順パス単**』というシリーズが旺文社より出版されているようです。残念ながら僕はこの本を使ったことはありませんが、頻出の単語を押さえることが試験への合格の近道となりますから、試験特化型の単語帳で効率よく単語を覚えましょう！

試験自体についてですが、これはそれぞれのテストにより全く異なる形式で出題されています。例えば、TOEICの場合には全ての問題がマーク解答での出題、すなわち全て選択肢式の出題となっていますが、その代わりリーディング試験の大部分が長文読解形式の出題となっております。

また、試験全体の半分ほどがリスニングにあてられています。ですから、この試験の対策を行おうと思った場合にはリーディングだけではなく、リスニングの技能も求められることとなります。一方で英検の場合だと、難しい級では英作文での記述式解答を求められるようになります。

加えて、単語知識を問う問題から長文の読解まで幅広く出題されるのが特徴で、長文読解だけできても単語の知識がなさすぎると前半で大量の失点をしてしまう可能性があります。さらに英検3級以上になると全てのやり取りを英語で行う面接が課されますから、リーディング、リスニングのみならず、ライティング、スピーキングまでが問われる総合的な試験となっています。なので、こちらの場合には全てを自習のみで片付けるのは難しい部分があるでしょう。

この試験傾向に対しても、各試験に対して過去問集や模擬試験集などが市販されていますから、好きなものを手に取り、やり込むことが一番の対策となるでしょう。

スピーキングの自習に最適な
基本無料のアプリ「TANDEM」

ここからはなかなか対策がしにくいリーディング以外の3技能について考えていこうと思います。ただし、リスニング、ライティング、スピーキングは全て前提としてリーディング技能がある程度なければ行うことが難しいと思われます。ですから、ある程度英文法や英単語が身につくまでは、本での学習を行うようにしましょう。

まずリスニングについてですが、これは最近だとアプリで対策するのが主流になりつつあります。僕がオススメするのは「BBC LEARNING ENGLISH」というアプリです。これはBBCが行っている英語学習者向けのサービスで、スマートフォン向けのアプリも出されています。このアプリの特徴は基本無料で非常に幅広い話題についてのリスニングを行えるということです。

さらに、基本的に1つの話が数分で纏められているので、リスニング初心者にも話の流れが追いやすくなっています。ただし、そこまで簡単な話をしてくれるわけではありませんから、前提としてしっかりと文法や単語の知識を身に着けておくことが必要となります。

さらにこちらは基本ラジオ感覚で聞いていくものなので、最初は少しだけ難しく感じるかもしれません。

他には、著名人やプロの専門家が自分の専門分野について毎回英語でのスピーチを行う「TED」という番組も良いかと思います。これは毎回各分野の第一人者が出演して自らの研究や技術について語っていくという番組で、もちろんスマートフォン用のアプリも出されています。こちらは基本的に映像付きで、日本語字幕に切り替えることも可能ですし、動画をダウンロードすることもできますから、通信量が心配な方でも安心してご覧いただけます。

もしもっと簡単に学習したいという方がいらっしゃれば、『DUO 3・0』（アイシーピー）という単語帳がおすすめです。この単語帳は、単語ではなく英文が収録されており、その文に使われている単語の解説を行うという形で成り立っています。

基本的には英文のフレーズごとに暗記を行うというコンセプトですので、単語を見ながら、実際にその単語や表現がどのようにして使われるのかを確認することができます。また、別売りのCDではそれら英文を読み上げてくれるので、聞くだけで単語の復習を行うことが出来ますし、初心者向けのリスニング対策にもなります。

さらに、この本は英作文の練習にもなります。というのも、**英作文は「知っている表現の単語を入れ替えて言いたいことを表現していく」ということが基本**になるので、最初のうちは様々な表現について英文単位で暗記していく作業が主となります。

しかし、この本の場合には単語が文章の中に組み込まれていますから、単語の暗記を進めながら文章も暗記することができるという一石二鳥の作りになっています。ライティングが必要な英語の初心者の方には、僕はこの本を勧めるようにしています。

スピーキングについてはできればネイティブの先生がいる英会話教室などに通うのが一番良いと思います。発音はもちろんのこと、会話の表現やテンポ感などは自分ひとりでは身に着けることが難しいからです。

もしスピーキングを自習で学びたいのであれば「TANDEM」という語学学習アプリをオススメします。このアプリは世界中の外国語学習者同士を繋げるというもので、LINEを使うような感覚で世界各国の人々とチャットや電話をすることができます。

基本無料で使えますから、もし人と仲良くなるのに自信があるのであれば、これで英語圏の友達を作ればスピーキングの練習に付き合ってくれるかもしれません。また、有料で外国語レッスンを行うプロの講師の先生も登録していらっしゃるので、その人達にお金を払って頼むのも良いでしょう。

実際に使った参考書の科目別評価

参考書を選ぶ際には、ここまで紹介してきたような方法で思考していくと自分の買うべき本を絞り込むことができると思います。参考書を使った自主学習をしていく場合には、本が一番の勝負となりますから、何度も繰り返している通り、やはりなるべく店頭へ行って本を手に取りながら理想の参考書を探すのが良いと思います。

さて、そうは言ってもなかなか使うべき本のイメージが浮かばないという方もいらっしゃると思いますので、ここからは僕が実際に使っていた、もしくは塾の講師を続けていく中で手にとった参考書と、それを選んだ理由、使った感想などを書いていきたいと思います。これから受験勉強を始めるという方は参考にしてみてください。

なお、僕が二次試験で使わなかった理科については参考書を購入しなかったので、紹介することができませんでした。

【数学】――白、黄、青、赤の色でレベル分けされた網羅系参考書の名著

【数学】

- **『チャート式　基礎からの数学Ⅰ＋A』（チャート研究所）**
- **『チャート式　基礎からの数学Ⅱ＋B』（チャート研究所）**

チャート研究所という出版社から長年に渡って出し続けられている網羅系数学参考書の名著です。チャート式の参考書は色でレベル分けされていて、簡単なほうから白色、黄色、青色、赤色というようになっています。どれも同じ名前で出版されているので、呼ばれる時は「**（色名）チャート**」というようにして呼ばれます。僕が受験生の頃は『**青チャート**』を使用していました。

なぜ青チャートを使用したのかと言えば、当時の僕は高校三年まで一切の予習復習を行ってこなかったサボり魔で、公式などの基礎的な数学知識が抜け落ちていたためです。また、志望校を東京大学にしたという都合上、基礎基本のところからある程度の難易度を持

った問題まで、幅広く扱っているような問題集が必要でした。

『青チャート』は、公式の確認のような非常に基礎的な問題はもちろん、様々な大学で実際に出題された入試問題やその類題まで、様々な難易度の問題を取り揃えているため、**参考書１冊で過去問までの学習を終わらせたかった**僕にとって大変都合の良い参考書でした。

さらに、それら大量の問題も、その問題の難易度に応じて五段階でレベル分けされていますから、難しすぎて太刀打ちできない難易度の問題に、そんな難易度であると思わずに挑戦してしまうような事故も防ぐことができます。まだ受験勉強始めたてで「少し難しい問題」と「大変難しい問題」の区別もできなかった当時の僕にとってこれは大変ありがたい機能でした。

この本を完成させることができれば東京大学の数学にも太刀打ちできるというように当時の担任から言われたので購入したのですが、**実際これの効果は物凄く、夏の冠《かん》模試では数学３点であったというのに、その年の入試本番では40点以上を得点**することが出来ました。80点満点の東大文系数学においては、５割以上得点できればそこそこといわれますから、大躍進だったと言えます。

ただし、欠点も存在しています。まず１つ目が、問題数が多すぎること。網羅系参考書として大変な人気を誇る本書ですが、様々な問題を取り揃えるために非常に分厚い冊子となってしまっています。収録問題数は例題だけでも1冊あたりで300問を超えます。

さらに1つの例題につき1つ類題がついていて、章末には練習問題のパートもあるので、全て合わせたら1冊で1000問を優に超えるでしょう。ですから、どの問題を解いてどの問題を無視するかと言ったような戦略が必要となってきます。

僕は**「一周目はレベル3の問題までを、二周目以降は間違えた問題とレベル4以上で解いていない問題を解く」**というようにして解き進めましたが、それでも夏から冬までたっぷり時間を取られたので、もし余裕があれば高校2年生の頃からコツコツ勉強することを勧めます。

2つ目の欠点は、解説が少ないことです。問題数が非常に多いので、分厚い冊子であるとはいえ、各問題の解説に割くことができる紙面は少ないです。そのため解説が非常に簡素になってしまっています。複雑な式変形を一行で済ませることもあるので、ある程度行間を読む力が備わっていないならお薦めはできない参考書になっています。

3つ目の欠点は、重くてかさばることです。大抵の受験生は1Aと2Bの両方を使用するでしょうし、理系の学生ならここに数学3の範囲を扱った問題集も使うことになります。

ですから、これを使って数学を本格的に勉強しようと思うと、かばんの中に分厚い参考書が三冊も入ることになります。

僕が通っていた高校の男子用かばんは比較的大きいマチがあったので全て入れることができましたが、学校によっては厳しいだろうとも思います。実際に男子用のかばんよりも二周りも小さいかばんを使っていた女子生徒は荷物の取捨選択を毎日迫られているようでした。

このように、一長一短ある本ではありますが、使い所さえ間違えなければ素晴らしい参考書であることは間違いありません。もし数学をこれから勉強しようと考えている方で、なるべく少ない冊数にて受験数学の全ての勉強を終わらせたいという方がいらっしゃればオススメの本です。

【英語】──由緒正しい『ポレポレ英文読解』は、英文精読系ではかなり上位

【英語】

〈リーディング対策の場合〉

・『英単語ターゲット1900』(旺文社)
・『Ｎｅｘｔ Ｓｔａｇｅ英文法・語法問題─入試英語頻出ポイント』(桐原書店)
・『ポレポレ英文読解プロセス50─代々木ゼミ方式』(代々木ライブラリー)
・『やっておきたい英語長文シリーズ』(河合出版)

右から順番に、単語帳、文法書、英文精読問題集、長文問題集です。英語については幅広く準備しなくてはいけないので、どうしてもこれだけかかってしまいます。ただし、英単語帳や英文法問題集については高校で配布される場合も多いので、意外と思っているほどお金はかかりません。

なぜこのように4冊それぞれ買わなければならないのかと言えば、僕は英語学習のステ

ップを４つに分けているからです。英語学習者の乗り越えるべきレベルとも言い換えられるかもしれません。

僕の考えている、**英語学習におけるレベル１は「アルファベットや単語を知ること」です。次のレベル２は「文法を暗記し、ある程度理解することができる」というもので、レベル３は「文法事項に則って英文をゆっくり理解することができる」となり、レベル４が「英語の文章をある程度の速さで理解することができる」**となります。

レベル４に至るまでに人は多くの努力を必要とするのですが、それらをクリアするのに必要なことが、前記した参考書に一対一で対応しているのです。レベル１では単語帳をしっかり読み込み、レベル２では文法書を仕上げて、レベル３で精読を通して正確な英文読解技術を身に着けて、レベル４の英文を斜め読みできるようになるというように。

これらのステップは長く険しいものですが、１つでも飛ばしてしまうと後々大変なことになりますから、無下にもできません。ですので、一つ一つ丁寧にこなしていきましょう。

ここで紹介している単語帳と文法書、すなわち『**ターゲット**』と『**NEXT STAGE**』（以下『ネクステ』）については僕の高校で配布されたから使っていたと言うだけで、特に思い入れがあるわけではありません。

正直、これらの基礎基本をさらってくれる単語帳や文法書については何を使っても大差はないと思うので、ある程度自分に合うと思ったものを購入するとか、学校で配られたものを使うとか、自分でルールを決めて、1冊やり抜くのが一番の鍵だと思います。

例えば英単語帳だと様々な種類がありますが、それぞれ、収録している語数や語彙は異なります。しかし同じようなレベルの参考書であればある程度重なる語彙は存在していますから、1冊しかやらなかったからといって致命的な抜けや漏れが発生することも少ないと思います。

それに**英単語の場合、数が膨大すぎるのでそれら全てを網羅することは不可能ですから、絶対にどこかで妥協しなくてはいけません。**日本語話者の私たちでさえも、しばしば自分が知らない日本語に出合うのですから、非ネイティブスピーカーの私たちが知らない英単語に出合うのは最早日常茶飯事と言ってもいいはずです。

ですから、**大事なのは「知らない単語を無くす努力をすること」ではなくて「知らない単語をどのような意味なのか推測すること」**であると言えます。このほうが効率が良いからです。

文法書についても様々な種類がありますが、こちらは網羅系の参考書であれば教えている内容は殆《ほとん》ど変わりません。文法書としての仕立てが異なる程度で、やはりこれについても「この参考書を使っていたら……」という後悔が発生する確率は低いのではないかと思います。

そもそも文法書を使う理由は日本語話者である私たちにとっては未知なるルールである「英文法」を習得するためなのですから、自分が使いやすいと思ったもの、もしくは使うと心に決めたものを使い倒して英文法について学習することができれば、どんな方法をとっていても特に問題はないのです。

念のため、僕が使っていた参考書について軽く感想などを述べていきますと、**『ターゲット1900』**は単語と意味の一対一対応を重視しており、徹底的に1つの単語に対して1つの意味を覚えさせる構成になっています。なので、英単語自体の持つ割とゆるい意味の範囲の全ては浚《さら》いきれないため、そこが欠点と言われてしまいがちです。

しかし、英語初学者で、特に英単語の暗記などが苦手な人なら、いきなりたくさんの意味を言われても分からなくなってしまうと思うので、そういう人にはかなり使いやすい参考書ではないかと思います。

また、英単語の意味合いを全てすくいきれなくなるという批判についても、英単語の意味を「これで確定」という方向ではなく、「だいたいこういう感じの意味で、代表的な意味はこれ」というように意識して覚えるようにすればある程度はカバーできます。

さらに『ターゲット』は公式スマホアプリを配信しており、基本無料で英単語学習を積むことができます。収録単語数も1900語と少ないわけではなく、この語彙を全て浚い切ることができれば早慶クラスにもある程度は立ち向かえるようになります。総合して英語が苦手だけど受験レベルの単語力を身に着けたい人におすすめです。

英文法帳の『**ネクステ**』についても、基礎基本から押さえたい人向けになります。この本の良いところは、問題と解答が常にページの見開きで一対一対応していることです。問題を解いたらすぐに右ページを確認することで自分の回答があっていたのか、なぜその回答が正しくなるのかといった解説を確認することができます。

問題の難易度も低く、基本的には「解いて覚える」という問題集なので、ただの暗記ではつまらなくなってしまうという人におすすめです。ただし、問題集兼文法書という中途半端な性格を持っているせいで、問題集としては問題数が少なく、さらに収録問題の難易度も幅がないという欠点があり、文法書としては文法事項の解説が比較的簡素な作りであるという欠陥を抱えています。

僕としては、文法書はこの1冊で十分でしたが、勧めていた塾で受け持っていた子の様子を見ると、この本1冊で身に着いた人と完全には身に着かなかった人がいました。ですから、この文法問題集だけではサンプル数が足りずに文法事項を一般化できないという人もある程度は多そうです。その場合には、別の文法問題集を買うなどして対応してください。

文法が身についているかどうかの目安ですが、共通テストの前身であるセンター試験の英語で文法問題での失点がほぼ無くなれば大丈夫だと思います。センター試験の文法問題はかなりの基礎レベルですから、あれぐらいであれば、ほぼ確実に満点、もし間違えたとしても1ミス以内で収めてほしいところです。逆に言えば、それくらいの点数がコンスタントに取れるようになっていれば、基礎的な文法事項は身に着いていると考えても良いと思います。

英文精読と英文読解は英単語と英文法の知識がある程度身に着き、英文を読むに十分な知識が身に着いたら始めるべきでしょう。英文精読とは、短く纏まった量の英文を文法的に正確に和訳する能力を鍛えるための勉強です。

精読の問題には**往々にして「短いけれども難しい」もしくは「日本語に訳しにくい」文**

章が選ばれる傾向にあります。このステップは飛ばされてしまいがちですが、これは大変重要なステップです。なぜならば、纏まった文章を理解するためにはその文章を構成している各段落の主張を理解する必要がありますが、その段落の主張を理解するためには、段落を構成している各文の意味が正確に取れていなければいけないからです。千里の道も一歩からといいますが、**何百何千もの単語が連なる文章を正確に理解するためには、まずは一文目から正確に意味をとっていくことが必要**になるのです。

『ポレポレ英文読解』は英文精読系の参考書ではかなり上位に位置するのではないかと思えるほどの良書です。程よく難しく、日本語に訳しにくいような、それでいて入試に頻出の表現を携えた文章が数多く収録されています。

英文精読系の本としては割と纏まった量の英文を読ませてくるので、長文読解の前のステップとしても役に立ちます。さらに、割と昔からある〝由緒正しい〟類の参考書ですから、古本屋や通販サイトを覗《のぞ》けばすぐに格安で手に入れることができるでしょう。ただし、難易度は高めであることに注意が必要です。

僕はこの本を「安価で程よい難易度の英文精読の参考書」であると聞いたため入手しました。お金がかけられないのはもちろんのことですが、それ以上にあまり多くの問題を解く暇もなかったので、少し難しく、終了後にすぐ実践問題に入れるような程度の難易度で、なおかつ50題以内の参考書を探していたためです。

ただし、単語や文法のレベルは共に『ターゲット』と『ネクステ』程度は修了していることが前提ですから、これらを終えていないうちに立ち向かってもあまりためにはなりません。さらに、こちらも比較的解説が簡素なので、完全に自学自習するには難しいかもしれません。

解いた際には、必ず学校の先生など信頼のおける英語ができる人に添削をお願いしましょう。自分の理解度は自分では測れないためです。自分ではできたと思っていても、第三者の視点からみてできていないと判断されてしまえば、どんなに自信があったとしても、その回答は駄目な解答です。

もし「駄目な解答」であると言われても気を落とさないでください。**なぜならば、どんなに「駄目な解答」でも改良を施せば必ず「良い回答」に生まれ変わることができるからです。**学ぶべきは「自分の回答はなぜ駄目なのか」と「なぜ模範解答は良い回答なのか」の2点ですから、「駄目な解答」であればあるほど、成長のためのチャンスであると言えます。

ですから**「駄目な解答」はむしろ無限の成長の機会が眠っている宝石の鉱脈**なのです。ただし、自分だけではそれが本当に「駄目な解答」なのかどうかのチェックができないため、記述式の問題を解いた場合には、必ず誰か信頼のできる人に添削してもらうようにしましょう。

長文読解の参考書については一応**『やっておきたい英語長文』**シリーズを推しましたが、これは目的によってはあまり役に立たないかもしれません。というのも、この『やっておきたい英語長文』シリーズは、確かに様々なジャンルについて述べた数多くの英文と、豊富な問題が収録されているのですが、肝心の解説、それも英文それ自体の和訳や文法構造があまり解説されていないためです。

僕の場合は受験直前期だったこともあり、とにかく英文を多読し、多くの問題を解きたいという思いからこの本を手に取りました。ですから、この本の使用目的に沿っていたと思います。

逆に、英語長文が苦手で丁寧な解説付きの問題集が欲しいという人にはあまり向かないでしょう。確かにこの問題集は市販の参考書としては良書で、手に入りやすく、実績も積み重ねている本なのですが、だからといって全員に合うわけではありません。参考書選びの際に、可能なら本屋で実際に本を手にとって確かめてほしいと言っているのはこのためです。

もしお金に余裕があるのなら、英語の長文や国語の読解については予備校の授業を受講するなどして対策したほうが確実だと思います。それだけ初学者にとっては自習がしにくい分野なのだと考えて下さい。

このようにして、４つの段階を経てレベルアップしていけば、どんな難関校の問題だったとしてもスラスラと英語が読めるようになっていくでしょう。大切なのは１冊だけ決めてやり抜くことですから、あまり色々な参考書に浮気せずに１冊だけ選びぬいて仕上げるようにしましょう。

【リスニング対策】——英文精読レベルで止まっているなら「DUO」がオススメ

〈リスニング対策の場合〉

・BBC LEARNING ENGLISH
・TED TALK
・DUO 3・0

リスニング対策はどうしても時間とお金がかかるので早期から始めたほうが良いと思いますが、自分の力にあった教材を使わなければ意味がありません。ある程度纏まった英文をスラスラと読めるようになってきているのであれば、前記の2つを、英文精読レベルで止まっているのであれば、「DUO」をオススメしたいと思います。

また、これら以外にも模試を受けた際などにもらえるリスニングCDを活用するのも非常に良い選択肢であると思います。実際、僕は東大の冠模試を受けた後には必ずリスニングCDとスクリプトを合わせて聴き込むようにしていました。最近は冠模試以外の通常の模試でもＣＤが配布されることが多いように感じますから、もし試験でリスニングを使おうと思っているのであれば、模試の復習がてらに聴き込んでみるのも良いと思います。

どのように勉強するべきかですが、一番最初、何を言っているのかが分からないというステップにおいては、スクリプトを合わせて目で追いながらリスニングを聴いていくようにするだけでも十分に効果があるように思えます。できればネイティブの発音を真似しながら発音できるようにすると良いでしょう。

これは僕が英語の先生から聞いたことなのですが、自分で発音できない音はなかなか聞き取りにくいといいます。自分で発音ができないのであれば聴き取りも難しくなるので、必ず音読と合わせてリスニングするようにというように教えられていました。

これはあくまで僕個人の感想になるのですが、**実際に自分で発音をするようになってから**は**段々と聴き取りがうまくなっていった**ような気もします。アクセントや発音に気を付けながらの音読と並行しながらリスニングの練習を行うと、さらに良い効果が期待できるでしょう。

また、**だんだん慣れてきたら「シャドーイング」を行う**ようにしましょう。これはリスニング音声が発した文章を、間髪を入れずに自分も音読しながらついていくという練習方法です。スクリプトを持たない状況で行うので、耳から入ってくる情報頼りになりますから、高いリスニング能力があるか、その文章をしっかりと復習するか、していなければ到底できるものではありません。復習の総仕上げとして行うとよいかと思います。

【国語】——難易度が高く、人を選ぶ参考書『現代文と格闘する』

【国語】

- **『現代文と格闘する』（河合出版）**
- **『古文上達 基礎編 読解と演習45』（Z会）**
- **『漢文ヤマのヤマ』（学研プラス）**

国語については、自習はあまりオススメしません。これは僕が自習をしていて強く感じたことです。もしもお金に余裕があるのであれば、英語の長文と同じくして、指導経歴が十分にあるような先生のもとで授業を受けるのが良いでしょう。映像授業ではなく、対面で授業が受けられるような形式の塾にしてください。

お金に余裕がない、塾が家から通える場所にないという場合には、普段通っている学校の先生に添削をお願いしましょう。というのも、国語についても英文和訳などと同じくして誰かの添削を受けなければ実力が伸びにくいからです。

国語も記述式で回答を書くことが多いですが、第3章で述べるように「理解力」すなわち「読解力」の本質は「要約力」にあると僕は考えています。国語の成績を伸ばしたいのであれば、この力を伸ばすのが一番良いのですが、自分だけでは要約のどこが良くてどこが悪いのかの判断がつきにくいため、自習だけで国語の成績を上げていくというのは難しい選択であると言わざるを得ません。

最近は通信添削のようなサービスも増えてきましたから、国語を勉強しようという方は、まずどうにかして添削者を確保するようにしましょう。

そのうえで、オススメする参考書ですが、**『現代文と格闘する』**（河合出版）という本がよろしいかと思います。僕がこの本を手にとった理由は、元からある程度あった国語力を伸ばすためと、その波をなくすためでした。この本は国語の問題集としては割と分厚いものですが、その分解説が丁寧で、さらに読み進める際のメソッドや、入試現代文頻出の概念の解説等まで行ってくれるため、現代文の力をつけたいと考えている人ならば、とても気に入る本だと思います。

しかし、この本は非常に難しいです。**当時の僕の国語の実力は、偏差値で表すなら模試の偏差値で大体55から60程度の偏差値がありましたが、それでも最初は全く歯が立たず、何度も返り討ちにあいました。**国語の先生に解説をしていただくことによってどうにか理解することはできましたが、僕一人では確実に挫折していたと思います。これを無理なく自習でこなしていきたいのであれば、大体偏差値で言うと60から65程度は必要になるでしょう。しかし、ここまでのレベルに自力で辿り着けている学生はそう多くはないと思います。ですから、かなり人を選ぶ参考書であると言えるでしょう。もちろんこれ以外にもたくさん参考書はあるので、まずは書店に行ったり自分で調べたりして、気に入る本を探してみるのが良いでしょう。

古典と漢文に関しては、古文については『**古文上達　基礎編　読解と演習45**』（Z会）、漢文については『**漢文ヤマのヤマ**』（学研プラス）という本があります。これらは覚えるべきポイントが明白になっていますし、特に前者の『古文上達』については毎回必ず読解形式の練習問題があるなど、かなり使いやすい仕立てになっています。

ただ、どちらもある程度の量がありますから、どうしても纏まった時間を設けて進めていくことになります。ササッと仕上げて英語や現代文、数学などの勉強をしたいという人には向いていないかもしれません。

また、これについても英文法の時と同じです。とにかく古文や漢文については文法を覚えることが第一になりますから、本は使いやすいと思った本、もしくは学校の先生などからオススメされた本を1冊選んで、それをやり抜くことに専念するのが良いでしょう。

僕はこれらの本を先生からオススメされたため、またネットで調べた時に評判が比較的良かったため購入しました。結果として特に不足を感じることもなかったので、良かったと思います。

【日本史・世界史】――最も安価な参考書は完結かつ明瞭に纏められている教科書

【日本史・世界史】

・『ナビゲーター世界史』（山川出版）
・『ナビゲーター日本史』（山川出版）
・『世界史論述練習帳ｎｅｗ』（パレード）

日本史と世界史については、とにかく教科書を読み込むのが一番良いと思います。なぜならば、完結かつ明瞭に纏められているためです。しかしこれだけでは暗記が捗《はかど》らないという方も多くいらっしゃると思います。

そのような方は**『ナビゲーター世界史』『ナビゲーター日本史』**（どちらも山川出版社）のような、講義形式の参考書を読むところから入ると暗記が捗りやすいと思います。教科書は、だ・である調でどうしても機械的に感じられてしまいますが、こちらは口語体で記されているので、初学者にとっても比較的とっつきやすいと思われます。

また、これでも難しいという方は、**「スタディサプリ」**という映像授業サービス上でかなり質の高い日本史、世界史の講義を受けることが可能ですので、そちらを受講してみるのも良いと思います。

僕が受験生の頃はまだ前身の「受験サプリ」でしたが、この頃から授業の質の高さは保証されていました。僕は高校のカリキュラムの関係で独学を余儀なくされた日本史について受講したのですが、月額980円（当時）とは思えないほどレベルの高い、それでいて面白く丁寧な授業を受けられました。

授業の範囲についても古代から近現代まで全てをカバーしてくれていますし、難関私大頻出の細かい用語についてもしっかりとチェックが入っていますから、大抵の受験生ならこの講義1つで満足できると思います。この質、量の授業としては異常なほどに安く授業を受けることが可能になりますから、**もし独学での社会科学習を検討しているのであれば、参考書を読むよりもこちらをオススメ**したいと思います。特に日本史担当の伊藤賀一先生による授業は必見です。

日本史・世界史については全く新しい知識をイチから刷り込んでいく作業なので、本読みでも可能ではありますが、やはり授業形式のほうが何倍も分かりやすいです。**とにかく**

どちらも全範囲を一周しなければ受験勉強をするという土俵にすら立てませんから、どうにかして早急に高校履修範囲の歴史を全て浚うようにしましょう。

また、試験で論述が必要とされる場合には**『世界史論述練習帳ｎｅｗ』**（パレード）という本がおすすめです。**論述と言われても多くの人は何を書けばいいのか分からなくなってしまうと思いますが、この本にはその基本が全て詰まっています。**

特に、東大・京大のような難関国公立を志望する受験生をターゲットとして書かれているようで、これらの大学を志望する学生向けのアドバイスが豊富になされています。この本はちょうど論述の練習のための本が無くて迷っていた時に、学校の先生からオススメされたので購入したのですが、論述をなるべく自習で仕上げようとするのであれば、各種方法論の記されたこの本は必須と言えるでしょう。

さらに巻末には「基本60字」と言われる小論述集が別冊子で収録されているのですが、これに載っている事実は全て暗記してもよいほど役に立ちます。この冊子は論述必須の国公立受験の方のみならず、早慶などの上位私立大学を目指している方にも非常に役に立つ内容であると思います。ただし、難易度としてはかなり難しいところから入るので、時間があるのであれば、別の小論述が収録されている参考書から入るのがいいかもしれません。

【第１章まとめ】

ここまでの内容を簡単に整理してみましょう！

勉強を「お金を節約する」という点で見た時に重要なのは、「払ったお金で一体どこまで勉強することができるのか」という点でした。予備校の授業やテキストはサポートが手厚い代わりに大変お金がかかりますが、全てをタダで済ませようとすると、自分で情報の真偽を調べる手間がかかります。これらを総合して考えると、出どころのしっかりした信頼できる情報がまとめて掲載されている参考書を１冊だけ買ってきて、それをやり抜くというのが一番お金の効率が良い方法だと考えられます。

さて、そうなるとどのような参考書を買ってくるかという話になりますが、ここで重要になるのが「自分は一体何を目的にして本を買うのか」ということでした。英単語や英文法が全く頭に入っていないのに英語長文の本を買ってきても宝の持ち腐れですし、数学について基礎問題は難なく解けるようなレベルにあるのに、基本の網羅系問題集を買ってきても全く意味がありません。ですから、まず本を買いに行く前に、どのような本を買いに行くのかということを考えなくてはいけないのです。

そのために必要なのが「自分は一体何について勉強しなければいけないのか」という自らの弱点の把握、すなわち「自分の悩みの把握」です。この悩みの把握については二段階の手順がありました。

まず、「英語が苦手」とか「数学が苦手」のようなザックリとした方向性でやるべきことを考えた後に、模試の参考書や過去問の成績などの自分の印象ではない客観的なデータを元に「自分はなぜその科目が苦手なのか」について、つまり悩みの原因を具体的に把握していく。この時、悩みをより具体化していくために、自分の考えを言語化して徐々に抽象から具体へと移らせていくということがコツです。

そして、悩みとその原因を100％把握できたら実際に本屋に行って本を選びます。この時に大事なことは、把握した自分の悩みを完全に解決できるような本を想定することです。参考書の種類は大変豊富ですので、大抵のニーズには答えられるようになっています。本を選ぶ際にはなるべく中身を確認しながら選んでいただきたいのですが、どうしてもそれが難しい時には、ベストセラーの中から評判を加味して選ぶと失敗しにくくなります。本を選ぶというところから節約は始まっています。勉強の相棒となり続ける参考書選びは絶対に妥協せず、自分がこれだと思えるものを選びましょう！

第2章　4つの「時間」の無駄を削る

普通に勉強するよりも相対的に「時間が余る」方法とは

「時間を操《あやつ》る」という力は、現在様々な創作に見ることができます。漫画では『ドラえもん』などが有名でしょう。主人公である猫型ロボット、ドラえもんの持つひみつ道具は、例えば時間を止めてしまったり、時間の進み方を操ったり、はたまた時間旅行まで可能にしてしまったりと、その能力は多岐にわたります。

そもそも彼自身が遠い未来からきた自立歩行型猫型ロボットというのですから、もはや『ドラえもん』という作品と「時間」という要素は切っても切れない関係にあると言ってもいいでしょう。

別の漫画だと『ジョジョの奇妙な冒険』の第三部に登場する悪役ディオの能力が挙げられるでしょう。この作品では主人公たちが「スタンド」と呼ばれる異能力を使って戦いますが、敵の親玉であるディオは、なんと「時を止めることができる能力」を持っているのでした。このスタンド史上最強の能力の前に、主人公一行は大苦戦を強いられます。

ゲームでもこの「時間」というテーマを扱っている作品は数多くあります。例えば、名作RPGとして名高い「クロノ・トリガー」などは時間がテーマになった作品の代表格と言えるでしょう。主人公クロノ一行はひょんなことから時空旅行ができるようになるのですが、様々な時空を旅しているうちに、いつか世界を滅ぼしてしまう大災厄の存在を知ります。彼らはこの災厄を討伐するために、時をかける大冒険に出ます。あとは、映画などでも『時をかける少女』が有名ですね。

私たちの周囲を取り巻く「時間」というものは、もはや私たちの概念を根底から支える重要かつ不可欠な概念となっています。だからこそ、この時間の壁を乗り越えて活躍することは、タブーであり、同時に憧《あこが》れでもあるのです。「時空をかける機械」も「時を止める超能力」も持たない私たちが時間を操ろうとしてできることは、精々が相対的な操作にとどまります。すなわち、**「単位時間あたりの作業量を増やすこと」**です。

この説明では分かりにくい方もいらっしゃるかと思うので、例を出しましょう。例えば、Aくんは1時間あれば部屋の掃除と洗濯を済ませたうえで、ちょっと小洒落たご飯を作ることができます。一方で、Bさんは1時間の間に前記した3つのうちの2つまでは手が回りますが、3つ全てこなそうとすると、全ての家事の質が落ちてしまいます。

このような時、同じ作業を同じだけの質でこなそうとすると、Aくんは1時間で終わるのに対してBさんは少なくとも1時間以上の時間がかかってしまいますね。もちろん人によって得意不得意はありますが、ここではそれを無視して考えます。

　これは「どちらが悪い」とか「どちらが良い」といった内容の話では全くないのですが、しかし、事実としてＡくんはＢさんよりも１時間あたりに多くの作業をこなすことができる、すなわち、効率的に時間を過ごしていることになります。Ａくんが１日にこなすことができる作業量とＢさんが１日にこなすことができる作業量では、Ａくんがこなせる作業量のほうが多いからです。

　ですから、この二人が同じ作業を任されたとすると、Ａくんのほうが早く終わると予想できます。こうなるとＡくんはＢさんと同じだけの作業量をこなしながら、なおかつＢさんよりも作業以外で使える時間が多くなりますね。Ｂさんと比べて考えると、Ａくんは自由に使える時間を生み出したとも取れるわけです。相対的に見た時にＡくんのほうが「単位時間あたりの作業量が多い」とも言い換えられます。

　時間を操ると言っても、私たちが時間の絶対量を操ることなどできはしません。私たちが時間の節約の話をする時には、このようにして「〇〇した場合よりも時間が多い」というように、相対でしか物事を測ることができないのです。ですから、**時間の節約というのもあくまで「普通に勉強するよりも相対的に時間が余るやり方」でしかありません。**しか

し、これをやっているのかどうかで結果には大きな差が出ます。

「無駄な時間」の定義

ここからは、**「時間を節約するための効率の良い時間の使い方」の具体的な方法**について考えていきます。先程から繰り返しているように、時間はお金とは違い、その流れを止めることは誰にもできません。時間は自動的に消費されてしまうものです。使わなければ済む「お金の節約」と強制的に消費されていく「時間の節約」とは、その点で全く性格が異なるものであるといえます。

こうなると、時間の節約とは、「如何《いか》に消費をゼロに近付けるか」という観点ではなく「如何に消費のムダを減らすか」という話で考えなくてはならなくなります。**すなわち、時間を節約するということは、「無駄な時間をゼロに近づけていく」という作業**になります。

そのうえで必要になるのが、「無駄な時間」の定義です。無駄な時間がなんなのか分かっていなければ、無駄を発見することなんてできませんし、最悪の場合、必要な時間まで無駄として削《そ》ぎ落としてしまう可能性があります。ですから、まずは「無駄」の定義について考えていきましょう。

それを踏まえてまず前提とするべきは、究極突き詰めれば**「100%無駄にしかならない時間は存在しない」**ということです。どんな時間でもある程度の意義はあります。例えば、虚空《こくう》を見つめてぼーっとしている時間でさえも、体力の回復、ストレスの軽減という文脈では、全く意味がない行動であるとは言いにくいものです。「何もせず待つ」ことが最善手になることだってあります。

ある行動に対して、常に正しく働くような、絶対的な「無駄行動」のラベルを貼り付けることはできません。では何をもって「無駄」とするのかといえば、これは優先度の問題になります。

人はある時間の中で無数の行動をとることができます。例えば、今私はこの原稿をパソコンに向かって書いていますが、この時間を使って授業の予習復習をすることだってできますし、本を読むこともできますし、ゲームをすることも、昼寝をすることも、ただ絵を眺めて過ごすこともできます。

しかし、これらの行動全てが等しく同価値かどうかといえば、それはまた異なった話となります。例えば、ゲームや読書、絵画の鑑賞などは、別にいつやっても構わないし、いつまでにやらなければならないというものでもありません。これは「やりたいけれど、やらなくてもいいもの」です。

昼寝については、今僕は全く眠くないですし、そんな暇もないので、「やりたくないし、やらなくてもいいもの」となります。授業の予習復習については、大変なので正直あまりやりたくはないですが、それでもやらなければ単位を落としてしまうので「やりたくないけれど、やらなくてはいけないもの」となります。そして、この原稿の執筆については、「やりたいし、やらなくてはいけないもの」と分類できるでしょう。

このように、行動は大まかに分けてこの4つに分けることができます。さらに、やらなくてはいけないものについて「個別に設定された締め切り」などの縛りもあるわけですが、大まかに言えば4つの基準を設けられるわけですね。

ここでいう無駄というものは「やらなくていいもの」に分類される行動です。**すなわち、「その行動は今やらなくても良いものかどうか」を考えて、「絶対に今やるべき」なら実行、「別に今やるべきではない」なら後回しにするという選択を連続していけば良い**ことになります。

ここで気をつけてほしいのは、ここで言っている「今やるべきかどうか」は全く主観的な判断に依存しているということです。先程も言った通り、ただ「待つ」ことが最善手になるような状況だって想定できる以上、どのような行動に対しても一貫して当てはまるような共通した判断基準というものを考えるのは大変難しいことです。

そうなると、「今やるべきかどうか」についての判断は、極論を言えば、今日と明日では全く異なってくる可能性まで見えてきます。つまり何が言いたいかと言うと、**「無駄」の基準はその時の状況によって変わってくる**ということです。

今回は勉強中という文脈に絞って考えますが、ここで言っている「無駄な時間」が常に「無駄」になるかはまた別の問題ですから、全てにこれらを適用しないようにしてくださいね。

その1：「ボーッとする時間」の無駄を削る

みなさんは寝ることは好きでしょうか、僕は寝ることが大好きです。もし許可がもらえるのであれば、一日中布団の上で過ごせるだろうという確信があるほどに、布団の中という空間を好んでいます。

布団と過ごしている中で一番楽しい時間は、間違いなく起き抜けの若干まどろんでいる時間でしょう。二度寝しようと思えば二度寝できる、むしろ自分の欲求は二度寝しようと囁《ささや》いてくるのですが、理性が「授業や仕事があるだろう」と警告してきます。

この微妙な関係の二者の間であちらへ揺れ、こちらへ揺れとたゆたうのがなんとも言えず気持ちがよいものであるというのは恐らく多くの人に共感していただけると思います。

しかし、この時間はもちろん「無駄な時間」です。なぜならば、中途半端な時間だからです。睡眠している時間は当然ながら睡眠に100％のリソースが割《さ》かれています。もっと分かりやすい言い方をするのであれば、睡眠中は睡眠することしか出来ません。

一方で、起きている時間は様々なことをすることができます。例えば、読書することも、遊ぶことも、掃除や洗濯など家事をすることも、当然寝ることだってこの選択肢の中には入ってきます。でも、この中間の状態は半覚醒状態にありますから、睡眠ほど身体が安らぐわけでもなく、覚醒時ほど様々なことができるわけでもなく、非常に微妙な状態に置かれているわけです。

この体感的には至福のひと時である「ボーッとする時間」ですが、このような忘我の時を少しでも減らしていくことが時間の節約への第一歩となります。

ですから、ここで扱っていく**第一の無駄な時間として挙げられるのが「ボーッとした時間」です。勉強中という文脈に絞って考えると、意識を彼方《かなた》に飛ばしている時間は、インプット中だとしてもアウトプット中だとしても、価値としては最低**であると言えます。

しかし、意外と人は呆然としてしまうもので、少しでも気を抜くとこういった状態になってしまう人も多いのではないでしょうか？　この時間は集中と集中の境目にありがちなのですが、この空白の時間帯について、とにかく量を減らしていくことが重要になります。

お恥ずかしい話ですが、僕はかなり集中が持たないタイプの人間で、高校の授業時間の50分の間でさえ、勉強することができませんでした。人に言われて勉強を行う授業でさえもそうなのですから、自習で集中を保つことなどできようはずもありませんでした。

幸いなことに、当時の僕の母校では校則で携帯電話の持ち込み禁止が定められていましたから勉強の合間にスマホをいじって時間を潰してしまうということはありませんでしたが、その分寝てしまったり、友人と話してしまったりして時間を浪費してしまうことがありました。

学生生活は全て勉強のためにあるわけではありませんが、そうは言っても大部分を勉強に費やすべきなのは言うまでもないでしょう。ですから、この無為に過ごしてしまう時間を減らすことが、僕の受験生生活の第一歩となりました。

実際、僕以外のクラスメートについても集団で話しながら勉強をしたり、ちょっとした昼寝のつもりが30分以上大きく時間をとって寝てしまっているような人も多くいました。僕は今、母校でチューターとして働いているのですが、その仕事の一環としてクラスの見回りを行うと、やはり今でも集団で話しながら勉強している人は、学年問わずにある程度いることが分かりました。

僕もこの環境がある程度普通だと思っていました。また、浪人時代は塾に通っていましたが、そこでもカップルや友人同士で自習をしている人もいました。このような人々がどれだけ成果を上げていたのかは不明ですが、参考までに言うと、僕の高校卒業年の進学実績はあまり捗々《はかばか》しくなかったようで、次の年に僕の早慶や東大合格の報せを入れたら、浪人生の合格にも関わらず大変に喜ばれたことを覚えています。

しかし、**東京大学では集団で話しながら自習をしている人はほとんどいません。カップルや友人同士で教え合いながらという姿もあまりありませんし、基本的には一人ひとりが参考書などを持ち込んで黙々と自習を行っています。**

集団で勉強する場合には、何かしらの課題に対するディスカッションをしているのがほとんどで、これは集団での意見交換を目的としていますから、やはり効率化が図られていると言えます。僕の個人的な所見ですが、**東大生で、特に優秀な人の多くは「無駄な時間」を意識的に削減しているような**フシがあります。そんな彼らですから、「ボーッとしてしまう時間」なんて、いの一番に削っていくに決まっています。

「どこまでが必要な時間で、どこからが無駄な時間か」という線引き

それでは、どのようにしてこのような時間を減らしていくかについて、方法を考えてみましょう。それを考えるには、まずなぜ人はボーッとしてしまうのか、どんな時に意識が飛んでしまうことが多くなるのかを考える必要があります。

なぜ人はボーッとしてしまうのかですが、これは単純に集中が続かないからでしょう。人は常に集中し続けることはできないので、ある程度集中したら休憩時間を挟んでやる必要があります。

例えば、学校でも授業と授業の間に休み時間がありますが、あれのお陰で各授業に集中

することができるのです。もしも１時間目から夕方までぶっ続けの授業をしたら、生徒も先生も持ちません。つまり、この空白の時間は「必要な時間」ということになります。

勉強のために最低限必要な睡眠時間や休憩時間を削る人がいますが、これは有効な手とは言えません。「休憩も勉強のうちに入る」という言葉はこれを指しています。

しかし、いくら休憩時間や睡眠時間が必要だからといって、半日を睡眠に費やしたり、一度の休憩時間で１時間も２時間も休んだりする必要はないでしょう。すなわち、**ここで考えるべきは「どこまでが必要な時間で、どこからが無駄な時間か」という線引きの位置**になります。

学校の授業については、授業時間と休憩時間を交互に入れることによって、この線引きを自動でやってくれています。このお陰で、授業に参加している限りは勉強のメリハリを自然とつけることができます。

慣れないうちは授業と同じようなペースで勉強を進めなさいと言われることがありますが、これは授業のペースが一番良く体に染み込んだ勉強のペースだからです。例えば、普段から運動していない人がいきなり３時間ぶっ続けのトレーニングメニューを組んだとして、これを継続して続けられるかと言われれば難しいでしょう。

でも、普段学校で取り組んでいた体育の授業と同じペースで軽い運動を行うところから始めれば、体への負担が比較的少ないまま習慣化できるかもしれません。勉強や運動など全てのトレーニングについて言えることですが、何事も一日にしては成らないので、習慣化することが最初の目標となります。ですから、最初は一番自分が慣れ親しんだ、もしくはやりやすいペースから行っていく必要があるのですね。

「休憩時間」と「自由時間」は似て非なるもの

これが自習になると、休憩時間の初めと終わりを自分で決めなくてはいけません。こうなると大変難しいのが、特に休憩時間の止《や》め時を失ってしまうという問題です。

僕は、自習時間の区切りを自分で区切ることができずに、友人との会話やスマホの操作に時間を溶かしていく人々を何人も見ています。こういった状態にならないように注意しなければなりません。

そうはいっても、休憩時間中に何もできないのであれば、逆にストレスが溜まってしまうでしょう。たまには友人との会話をしたりスマホで遊んだりしたいというのが人間です。

それでは、この間にある「線引き」をうまく行うにはどうすればよいのでしょうか。

　そもそも**休憩時間を遊んで溶かしてしまう**のはなぜでしょうか。これは簡単な話で、休憩時間のタイムリミットを守れていないから、正確には、タイムリミットを刻限として強く意識できていないからでしょう。

「15分だけ休憩しよう」と決めても、時計を全く気にしていないだとか、15分が過ぎても「まぁ、さっき頑張ったからあと3分だけ延長しよう」とか考えてしまって、それでズルズルと時間が過ぎていくという人が多いと思います。なぜこういった思考になってしまうのかと言うと、「休憩時間」と「勉強中」とで完全にスイッチが切り替わってしまっているからです。

　これは僕なりの定義になりますが、**「休憩時間」と「自由時間」は似ているようで全く異なります。休憩時間は「やるべきこととやるべきことの間に存在する僅《わず》かな間」に過ぎないのに対して、自由時間は「その後に控えているやるべきことを意識しなくても良い時間」です。**

　つまり、自由時間は「宿題などから解放されたフリーの時間で、ある程度まとまった時間をとることができる時間」と言えますが、これに対して休憩時間は「宿題や学習などの合間にとる、休憩のための時間であり、自由時間と比較すると短い間にとられる」となります。

ここで、前者と後者の違いは、時間的な違いを除けば「そのすぐ後にやることがあるかどうか」ということになります。休憩時間を遊んで過ごしてしまう人は、その後すぐにやるべきことに取り掛からなくてはならないという意識を持たずに、休憩時間を自由時間だと誤認しているから、ダラダラと遊び続けてしまうわけですね。

「勉強時間」と「休憩時間」の他に「自由時間」を設ける

それでは、これについてどのように対処すればいいでしょうか。意識的な部分では、まず**「休憩時間」と「自由時間」をきっちり分けましょう。**「休憩時間」については遊ぶ、友達と会話するなどをあまりしないようにし、もしもそれらをするとしても、必ず時間制限を守って休憩するようにしましょう。

ただ、意識しようと言っても初めはどうしても難しいと思います。ですから、ある程度体に染み付くまでの間、ルーティン化できるようになるまでの間は、スマホや友人と隔絶された空間で勉強するのが良いと思います。つまり、スマホやゲームは電源を切ったうえで「自分の目の届かないところ」に封印し、友人と話してしまうのであれば、私語禁止の空間で勉強するだとか、使う自習室を変えるだとかして、どうにかして自分を誘惑から完全に離すのが大事だと思います。

そして、**メリハリを付けるために、「勉強時間」と「休憩時間」の他に「自由時間」を設けるのも大事**です。どうしても「休憩時間」だけでは体力は回復しきらないでしょうから、自分の体力、気力の回復のためであると割り切って、必ず「自由時間」を設けるようにしましょう。

この時間の間はゲームやスマホをするもよし、友達や恋人とチャットや電話するのもよし、寝るもよし、というように、「勉強以外の何をしても良い時間」として、ある程度まとまった時間をとってあげるのが重要です。

なぜ勉強以外にしたのかと言うと、勉強を認めてしまうと結局根を詰めてしまうことに繋《つな》がりかねないためです。あくまで休憩時間は一時的なスタミナ回復を行うための小休憩で、そこだけで完全に回復させることは難しいと思いましょう。自由時間が体力回復の本番だと思ってください。そういう意味では、これらは全て勉強のためになる時間ですから、大事にしましょう。

なお、**僕は「家族や友人、恋人と過ごす時間」や自分の趣味に費やす時間について無駄であるとは思っていません。むしろ、必要不可欠な時間であると考えています。なぜならば、そこが自分にとっての憩いの場である限りは、そこで多くの時間を過ごすほど効率的な体力の回復を図ることができるからです。**

ただし、これらの空間は得てして居心地が良いので、長居してしまう可能性が高いです。ある程度までは確かに効率化の一貫と見ることもできるでしょうが、しかし、先程述べたように「休憩時間」と「自由時間」の境が曖昧《あいまい》になってしまうのも考えものです。ですから、団欒《だんらん》の時間を取りたいのであれば、勉強が完全に終わった後、もしくは勉強を始める前に限るなどして、生活にメリハリをつけるようにしましょう。

その2：「思考時間」の無駄を削る

これは僕が英作文や英文和訳の指導をする時に必ず言うことですが、日本語と英語のルールは全然異なっています。僕なりにスポーツで例えてみますと、これはあくまで僕の体感なのですが、英語を「野球」としてみると、日本語は「ラグビー」というくらいに異なった競技であると考えています。

実際、**アメリカ国務省では「英語話者にとっての難易度別外国語一覧」という表を公開していますが、日本語はアラビア語や韓国語と同じくして「レベル3：英語のネイティブスピーカーにとって非常に習得が難しい」というランク付けがなされています。**

ここまで言われるほどルールが異なった言語なのだから、日本語と同じようなルールで考えても仕方がないだろう。だから英作文や英文和訳をする時には、必ず英語に特有の表現方法などは先に覚えておいたほうが良い、というようにして指導するようにしています。

知識不足を工夫でカバーするのが腕の見せ所ではありますが、工夫ではどうにもならないような根本的なルールの違いというものもあるのだ、という意味でこれは言っています。

ところで、学校教育の場で今注目されているのが**「アクティブ・ラーニング」**です。これは、簡単に言えば「受動的な授業よりも生徒が活発に意見し合うような環境で授業を行おう」というような考えの下に行われている取り組みで、従来の先生が黒板に様々なことを書いて生徒たちに教えていくという**「トップダウン方式」の授業**ではなく、生徒にたくさん話し合わせるなどして思考させ、生徒側から様々な意見を汲み上げようという**「ボト**

ムアップ方式」の授業を行うなどの取り組みが行われています。この活動は「より考える力を持った人間を育てよう」ということも目標の1つとして掲げられています。

しかし、ここで考えるべきことは「考えるってなんだろう」ということです。考えるということは世間一般では出来て当たり前なことのように扱われていますが、その本質を僕は未《いま》だに摑《つか》みきれていません。

「少し考える」といって考えられる人はとても立派な人であると常々思っています。なぜならば、「考える」ということは、考えられるだけの道具、つまり知識や常識がなければ成り立たないからです。前記したアクティブ・ラーニングはこれら知識や常識も一緒に育むことを期待されていますが、これらの道具が揃っていない状態で行う思考から出る結論は、たいてい悲惨なものとなります。

「考える時間」は「無駄な時間」？

ですから、ここで次に考えるべき「無駄な時間」は、「考える時間」です。「え？　勉強する時は暗記に頼りすぎるな、自分で考えろっていつも言われるけど？」と思われる方も多いと思うので、もう少し詳しく説明しましょう。

そもそも、「考える時間」が大事かどうかと問われれば、これは100％大事です。それは間違いありません。暗記に陥っては応用が利かなくなってしまいますから、少し式や文字、数字などを変えただけで分からないといったような事態に陥りかねません。それでは、なぜ「考える時間」をカットするべきなのでしょうか。

まず、思考の方法について考える前に、思考それ自体について考えていきましょう。みなさんは「考える」ことは得意でしょうか。まず「考える」とは一体どういった行動を指すのでしょうか。ただただ腕を組んで唸《うな》るだけで考えていることになるのでしょうか。そんなに単純な話ではないはずですよね。

それでは、「ちょっと考えさせてください」と言った時に、その人は脳内で一体何を行っているのでしょうか。**僕はこれまで「考える」ということは一体何をすれば「考えた」ということになるのだろうかということについて考えていますが、未だ完全には理解できていません。**

この行動自体が考えるという動作を行っているにも関わらず、僕は自分自身が一体どのような手順を踏んで答えを導き出しているのかについて全く不案内なのです。

考えるということは誰しもが皆できているように言われがちですが、その本質について分かっている人は、意外と少ないものです。試しに、「考える」とは一体どのようなことをすれば「物事を考えた」といえるようになるのだろうか、と身近な人に問いかけてみてください。明瞭かつ画一的な答えは返ってこないでしょう。

少なくとも1足す1は？　と問いかけるよりはずっと難しい問題です。だって、「『考える』とは何か」ということについて、学校では画一的な答えを出してはくれませんから。だからこそ「思考の整理術」や「〇〇の考え方」のような思考術は常に一定の価値を持ち続けます。様々な知識がインターネットを通じて誰でも手軽にアクセスできるようになってしまった現代においては、相対的に思考方法がその価値を上昇させていると言っても過言ではないでしょう。

思考という作業は「情報整理」にほかならない

「考える」という能力の本質は腕を組んで難しい顔をして唸るだけではありません。それでは、思考とはいったいどのようなことを指すのかというと、これは「問題を腑分けして

いく能力」だと僕は考えています。

もっと分かりやすく言うと、「今考えている問題のなかで、どこが分かっていて、どこが分からなくて、何が分かればその問題が分かりそうなのかを整理してあげること」が思考の大部分を占めます。つまり、**思考という作業は「情報整理」**なのです。

ある物事全体を見渡した時に、その全体が理解できないのであれば、自分は一体どの部分が分かっていないのであろうかと自分に問いかけ続けていくことを、思考と呼ぶのであると僕は考えています。

これについて考えるのであれば、「分かる」という言葉と一緒に説明したほうが良いかもしれません。例えば、あなたはパソコン（もしくはスマホ）がどういった機械で、どのような仕組みで動いているのかについて理解しているでしょうか。恐らく大多数の人は分からないと答えると思います。

それでは、このパソコンをたくさんのパーツに分解して、ネジや液晶パネル、マザーボードなど一つ一つに分けてあげたらどうでしょうか。ここまで来ると、「ネジやパネルについてはなんとなく分かっても、マザーボードがどのような機械なのか分からない」というように、分かる部分と分からない部分に分けられると思います。

この例で言うならば、元々あったパソコンが「分からない問題」で、分解のプロセスが「思考」となり、分解後のパーツや組み立てのプロセスが「分かる部分と分からない部分」にあたるわけです。逆に言えば、パーツそれぞれや組み立て方について、一つ一つ理解すれば、パソコン全体も理解できるでしょうし、どれか1つのパーツが分からなければ、パソコン全体を理解したとは言えなくなるでしょう。

「分からないと言う前に考えろ」と言われた経験がある人もいるかもしれませんが、この言葉が意味していることは**「分からないと言って投げ出す前に、何が分かっていて、何が分からないのかについてを整理してから来い」**ということになります。先の例で言うならば、「パソコンがどういう仕組なのか分からないと言う前に、まず自分でパソコンを分解する努力をしてきなさい」ということです。

なんだか意地悪に思われるかもしれませんが、それが分からないとイチから全て教えることとなりますから、どのステップまで理解していて、どのステップから理解できていないのかということを共有することは、教えられる側にとっても、教える側にとっても時間の節約になるので、そのほうがよいのですね。

思考停止しているのに思考していると思いこんでいる時間

さて、ここまで「思考」について考えてきましたが、それでは、なぜ「思考する時間」は無駄なのでしょうか。先程も述べたように、思考するということは、その問題を分解して、自分に分かりやすくしてあげるプロセスのことを言います。

そうなると大事になるのが「どういったパーツや分解方法があるのか」という知識の部分です。例えば、先程のパソコンの例で言うならば、そもそもあなたがドライバーなどの工具を持っていなければ、または分解の方法についての知識がなければ、分解することすらできません。

思考することで一番大切なのは、「分かっていること」と「分からないこと」の腑分けを通して、「分からないことが一体どのような役割を果たしているのか」ということについて推測することです。

ですから、そもそも分解するための道具がないとか、分解する方法を知らないとか、そういった時点で立ち止まっているのであれば、それは全くの無駄な時間になるわけです。

別の、もっと勉強に即した例を挙げましょう。例えば、あなたがある数学の問題について悩んでいるとします。問題文のどこを読んでも難しい、どこが分からないのか分からない、というような袋小路に陥る人は多いのですが、実はそのうちの少なくない人数の人が、その問題を解くために必須の概念、例えば足し算や引き算という方法論を知らないという場合があるのです。

「足し算や引き算くらいなら知っているよ、馬鹿にするな！」と言われてしまいそうですが、これが「二次方程式の解の公式」だったらどうでしょうか。または、「三角関数の加法定理の公式」ではどうでしょうか。今挙げた例はどちらも各単元の初めで習うような超基本的な事項ですが、これらについての知識を持っていないと解けない問題というのは無数にあります。

この**「考えているようで何も考えられていない」という状況**は意外と多くの人が陥りがちです。実際に、僕が塾講師をしている中で何人もこういったデッドロック状態になっている人を見てきました。

彼らの多くは、自分は今考えていると思っているようなのですが、その分からない原因は？　と問うと要領を得ず、突き詰めていくと、例えばある1つの単語の意味が分からないから悩んでいるだとか、その文法事項を知らないのに文法問題について考えているとか、式の分解の方法や公式を知らないのに悩んでいるだとか、そういった「知識」の面で立ち止まっていたのです。知らないことを悟ることなんてほぼ不可能と言ってもいいですから、知識の不足が原因なのに考え込むことは無駄であると言わざるを得ません。

結局彼らも、「なぜ自分たちが分かっていないのか、分からないのか」ということを追求することができておらず、そのせいで知識の不足を思考不足に置き換えて悩んでしまっていたようなのですが、**この時間は全くの無駄です。この時間は思考しているのではなく、「思考していると自分が思い込んでいるだけの時間」と言ったほうが正しい**でしょう。**僕が無駄であると言っているのは「思考そのものの時間」ではなく、「思考停止しているのに思考していると思いこんでいる時間」なのです。**

ですから、僕の場合は未知の問題に当たった場合、３分考えて方針や解法の糸口が全く見当たらなければ、「知識や発想がない」と判断して答えを見るという学習法を行っていました。とにかく分からなければ答えを確認するということが重要で、考えるとしたらその後で良いのです。

答えが分からないまま唸っていても時間は過ぎてしまいますから、時間を使いすぎる前に答えを確認して、それから「どうやって考えればこの答えにたどり着けたのだろう」

「この発想はどこから出てくるのだろう」というように考えていくのです。この考え方の具体的な方法論については、第3章の「その4」で詳しく見ていきたいと思っています。

具体的な教科に落とし込んで考えても、英語や国語の問題では、そもそも単語の意味や文法について理解していなければ問に答えることはほぼ不可能になりますし、数学や理科の問題では、公式を覚えるのはもちろんのこと、いわゆる「定石の解き方」の発想を覚えていないと取っ掛かりすら摑めないということすらあり得ます。「ドラゴンクエスト」などのRPGゲームでは「武器や防具は装備しないと意味がない」ということは半ば常識と化していますが、知識についても同じことが言えます。

すなわち、知識は知っているだけでは意味がなく、それを適切な場面で適切に使えるようにならなければ、その知識を身に着けたと言うことは出来ないのです。しかしながら、その知識をどのようにして使うべきなのか、どの場面で使うべきなのかなどについては実践の中で身に着けていくしかありません。

基本的な知識でさえもその取り扱いには熟練を要しますが、中には特殊な発想を要求されるような問題も存在しています。このようなタイプの問題について土壇場でひらめくということには相当なセンスと経験、時間を要求されますので、大変時間効率としては悪いのではないかと考えます。

ですから、あなたが相当にその学問を愛していて研究者になることを志望しているとか、自分の才能に自信を持っているとかでない限りは、おとなしく撤退して知識や特別な発想の暗記に努めたほうが、間違いなく効率は良くなるでしょう。

6つのルール「次に同じタイプの問題で間違えないようにする」

しかし、ここで紹介したような「すぐに答えを見る勉強法」を続けていては思考する力がつかなくなってしまうのも事実です。ですから、僕は次のような基準を設けて勉強を行っていました。

- **初見の問題では3分を時間制限とする。**
- **2回目以降触れる問題は1分を時間制限とする。**
- **制限時間内に解答の方針が全く立たなければ回答を見る。**

もし解答の指針が立ったら、できるところまで突き詰める。

- **言葉にできなくても、思い浮かんだことはメモしておく。**
- **解答を見てしまった問題には「正の字」をつけていく。**
- **解答を見てしまった問題は直近3日以内に復習する。**

この6個のルールは、「**次に同じタイプの問題で間違えないように**」という目的で制定したものです。初見の問題などで解答の指針が全く思い浮かばなければ、それは仕方がないので回答を見ることになります。しかし、次に同じようなタイプの問題が出題された時に解けなければ意味がないので、正の字をつけてマーキングしたうえで、3日以内に復習を行います。

こうすることによって問題の解き方や知識の使い方をしっかり定着させられるようにします。また、復習する際には、時間制限を短くします。なぜなら、その問題の解き方がしっかり頭に定着していればすぐに答えの方針が思い浮かぶはずですし、逆にその問題が頭に定着していなければ、いつまで考えても答えは出ないだろうからです。

受験レベルの勉強ならば大体の問題は問題のパターン化とそれに対する有効な解法の理

解ができていれば問題なく解いていけるので、この方法で対応できます。具体的な復習の方法については第3章以降で扱いますので、そちらも合わせてご確認下さい。

その3：「復習時間」の無駄を削る

突然ですが、みなさんは予習と復習ではどちらが大事だと思いますか？　小学校の頃から「予習と復習は大事にしよう」と言われている人が多いと思いますが、僕はこれら2つの勉強方法は等価値ではないと考えています。なぜならば、受験勉強に限らず、**ありとあらゆるテスト対策の勉強は、「復習」がメイン**になるからです。

予習とは、予《あらかじ》め習うこと、つまり、次回の授業範囲について、授業で扱うより先に前もって自分で学習しておくことを言います。対して復習は、また習うこと、すなわち既《すで》に勉強した範囲について、それを見直すことを指します。両者の違いは授業の前にやるのか後にやるのかだけですが、その目的は全く異なります。

まず予習についてですが、ただ単に履修予定範囲を勉強すればいいというものではありません。これは基本的には授業内で扱われても分からないであろう部分を発見するために行います。そもそも予習だけで授業範囲が完全に理解できれば、授業を受ける必要なんてなくなってしまいます。しかし、現実にはそうもいかないでしょうから、せめて分からなくなる前に「自分は一体どこで躓《つまず》いてしまうのだろう」ということを確かめるために予習を行うわけです。

一旦授業で分からなくなってしまうと、そこを気にしている間にみんなはドンドン先に進んでしまうので、「自分はどこから置いていかれてしまう可能性があるのだろうか」ということを前もって把握しておくために行うことであるということを、まずは確認してほしいと思います。

この予習の効果は、授業に置いていかれにくくなるところにあります。前もって分からない部分を把握しておけば、授業で分からなくなってしまった時にも余裕を持って対処ができますし、なんなら授業の前に先生へ質問をしに行くことだってできます。ですから、授業の際により深い理解を得ることが可能になるかもしれません。

しかし、**予習はあくまで「保険」です。授業で躓かないための「転ばぬ先の杖」**なのであって、結局知識が定着するのかどうかは全くの別問題になります。人間はありとあらゆる習ったことを忘れてしまいますから、予習をして授業内にどれだけ素晴らしい学びを得ようとも、それを忘れてしまったら、せっかく得た知見の意義が半減してしまうのです。

対して、**復習は「学んだことを定着させるための勉強」です。これは予習とは異なり、既に行った勉強を自分に定着させるために行う勉強**です。この勉強は「自分はどこが分かっていないのか」だけではなく、「なぜ分かっていないのか」や「どうしたら分かるのか」なども考える必要があります。

なぜならば、予習は「これから受ける授業の効果をアップさせるための勉強」ですから受動的な勉強態度でも対応可能であるのに対して、復習は「既に受けた授業の内容を自らのものとするための勉強」なので、積極的に勉強に臨む態度がなければ有効な勉強が出来ないからです。予習と復習、もちろんどちらも大切な勉強の要素ですが、どちらかと問われるならば、勉強の本質は復習にこそ秘められています。

なぜ、「過度な復習の時間」は無駄なのか

受験勉強だけではなく、学校が行う定期試験にもこれを見ることができます。いわゆる受験勉強というものは、高校や大学が課す入学試験に合格するための勉強です。これら試

験では、それぞれ中学履修範囲、高校履修範囲の全てが出題の範囲となりますから、受験生は当然学んだことの総復習を求められます。

一方、学校の学期末試験はどうでしょうか。こちらに関しては、入学試験よりも復習に特化しています。なぜならば、学校から出題される学期末試験は、普通その学期に学んだ内容から試験が出題されます。すなわち、学期末試験は壮大な復習のためのテストであると言えるわけです。学校の勉強をコツコツ続けていればいつか入試に繋がると言われることがありますが、それはこれが原因です。

それでは、復習はいくら行っても足りない素晴らしい勉強方法なのでしょうか。いいえ、これは違います。**一口に復習すると言っても、多くの方法があります。そして、誤った復習の方法をとってしまうと、いくら時間をかけても一向に勉強が捗《はかど》らない無間地獄《むげんじごく》に落ちてしまうのです。**

というわけで、次に見ていく「無駄な時間」は「復習の時間」です。これについても誤解のないように言っておきますが、ここまで述べてきたように、もちろん復習をする時間は大変重要なので、まずそこは勘違いしないでください。

ただ、ここまで見てきたように、物事には程度というものがあります。例えば、復習は大事だからといって、毎日毎日英単語を丁寧にイチから終わりまで復習することについて、みなさんはどう思いますか？　これはさすがに時間がかかりすぎると思われる人が多いのではないでしょうか。そういう意味では「復習」は無駄な時間になりますね。もっと正確に言うならば**「過度な復習の時間」は無駄な時間**となりえます。

そもそもなぜ復習は大事だと言われるのでしょうか。それは、人間は学んだことを忘れてしまう動物だからです。実際に、今の20代以上の人に二次方程式の解の公式だとか、受験では必須レベルの英単語の意味だとかを聞いてみても、分からないと答える人が多いと思います。

ただ、それらについては、本当に分からないのではなく、昔は知っていたけど忘れてしまったという人が多いのではないでしょうか。ではなぜ彼らはこういった情報を忘れてしまうのかといえば、それは彼らにとってその情報は重要度が低いからです。もっと言うと、**「普段から使わない情報」に対して、人は忘れがちになります。**

例えば、品川で歩いているサラリーマンを一人捕まえて先のような質問をしたら答えられる人は少ないでしょうが、学校で働いている数学や英語の先生を捕まえて先のような質問をしたらどうでしょうか。その場合は即答されるはずですね。このように、普段からその情報に触れているかどうかというところで、その情報を忘れてしまうかどうかが決まってくるわけです。

もう1つ、**情報を忘れやすくなる条件があります。それは、「その情報を覚えたての時」**です。昨日覚えた英単語を一週間もすると忘れてしまうように、自分にとっての新情報というものはなかなか頭に定着しにくく、すぐに忘れてしまうものです。ですから、この最初期における復習は大変重要ということになります。

安心感を得るための確認作業は「無駄な復習」の時間で、危険

それでは、「無駄な復習の時間」とは一体どのようなシチュエーションを指しているのでしょうか。ここまで見てきたように、**情報を忘れやすくなるにはいくつか条件がありました。1つは「普段使わない情報」であること、もう1つは「自分にとって新しい情報であること」**でした。

だからこそ、私達は「右と左ってどっちがどっちだったかな」だったり「信号って赤と青どっちで渡るんだっけ」といったような疑問に頭を悩ませ続けることなく、日々を生き

抜くことができているわけです。これらは「普段使わない情報」でも「自分にとって新しい情報」でもありませんから。

逆に言えば、このような情報、すなわち2つの条件に当てはまらないような情報を復習することは時間の無駄であると言えます。あなたは毎日朝起きてから「本棚があるほうが右で、壁に接しているほうが左！」と左右の確認（復習）をしてから顔を洗うでしょうか。または、玄関のドアに「赤信号が止まれで、青信号が進め！」などと張り紙をしていつでも確認できるようにしてあるでしょうか。そういった人はかなりの少数派なのではないかなと思います。

これはあらゆることに関して言えることで、例えば、もう知っている単語、例えば〝apple〟や〝pen〟などのような基本的かつ既知の単語に対して毎日復習を行うというのは愚かしいことです。ここまではみなさんご理解いただけるかと思うのですが、残念なことに、これらの例を少し難しくすると、同じようなことを何度も繰り返す方が大勢います。

分かりきっているはずの〝improve〟という単語が一体どんな意味なのか、とか、知っているはずの加法定理の公式を何度も思い出すだとか、そういった復習というよりも単純作業に近い性質の「勉強」をして満足している方も意外と多いのです。これらは、自分の学力を向上させるための勉強というよりも、自分の学力が低下していないか確かめるための安心感を得るための確認作業であると言えます。

しかし、テストはあなたを待ってはくれません。何度も言っているように、**テストを控えた人間にとって一番大事なのは時間です。その貴重な時間を、わざわざ安心感を得るための作業に費やすというのは大変もったいないことです。さらに、これを行っている時間は自分が勉強していると勘違いしやすいので、非常に危険な行為でもあります。**ですから、このような行為はなるべく避けましょう。

もしもどうしてもやりたいのであれば、これは勉強ではなく、ただの安心感を得るための行為に過ぎないということを自覚して行うべきだと思います。

それでも、「三日以上触れていない科目」が出るのは危険

それでは、無駄のない復習とはどのように行うべきなのでしょうか。まず**復習する対象ですが、これは2つです。1つは「随分《ずいぶん》昔に使ったきり、全く触れていない情報」で、もう1つは「新しく得た情報」**です。先程述べた忘れやすい情報の条件のうち、前者は「普

段触れていない情報」に、後者は「新しい情報」にそれぞれ対応しています。

そして、これら2つについて自分で管理しておき、「新しい情報」については一日に複数回行うなどしてこまめに、「普段触れていない情報」については、条件次第ですが二週間程度を目安にして軽く復習すると良いでしょう。

つまり、昨日覚えたばかりの英単語はまだ覚えていないため、あまり放置すると忘れてしまう可能性があります。ですから、覚えた日の夜、寝る前に一度、翌日の朝に起床してから一度、さらに寝る前にも一度、その二日後の朝（つまり覚えてから三日後の朝）にももう一度行う、といったように細かく、規則性をもって取り組まなければなりません。

一方で、普段触れていない情報については、ここまで細かく見る必要はありませんが、「覚えている」を通り越して、「知っている」状態にまで馴染《なじ》んでいないのであれば、二週間に一度は軽く復習したほうがいいと思います。

とはいえ、こちらは一度習得している分野ですから、復習すると言っても問題は解かないで解説だけ眺めるとか、解き方の手順や押さえるべきポイントだけ思い出すとか、そういった軽い復習で良いと思います。

ただし！　いくら知っているから、慣れているからといって、**勉強している科目の中で**

「三日以上触れていない科目」が出るのは危険です。つまり、今日から一週間は国語と数学を集中的に勉強しよう！　と意気込むのは良いのですが、だからといって英語や社会に一切触れないのは大変危険なことなのです。

これは、その教科の勘が一気に鈍《にぶ》ってしまうためです。僕はセンター試験直前に英語の過去問が190点以上で安定してきたのをいいことに油断し、苦手だった理数科目の対策にのみ2週間を費やしてしまった結果、センター試験当日に英語が全く読めなくなり、160点しか取ることができなかったという苦い思い出があります。なお東京大学受験者、合格者の場合180点以上はコンスタントにとってきますから、この数値は東大受験者としてはずば抜けて低い数値でした。

みなさんは、できると思った教科でも必ず三日に一度は様子を確認して、僕のように本番で大爆死しないようにしましょうね。

というわけで、ずいぶんと話が逸《そ》れてしまいましたが、今回減らすべき無駄な時間は「普段触れていない情報」について過度な復習をするべきではないですよ、というものでした。繰り返しますが「新しく得た情報」についての復習はこまめにやるべきですし、「普段触れていない情報」についても疎《おろそ》かにしてよいというわけではないので、注意して

ください ね。

その4：「勉強時間」の無駄を削る

ところで、この世には「必要な無駄」があるということをご存じでしょうか？　一方で必要と言われながらも、その存在が完全に無駄になっているようなものです。なぞなぞみたいですね。でも、これはトンチではなく実際に存在しています。

「無駄だけれど存在しているもの」は数多くあります。例えば、人間の身体で言うと盲腸などはもうほとんど消化のための役に立っていない、付いているだけの器官であると言われています。むしろ、たまに虫垂炎《ちゅうすいえん》になってしまうと場合によっては手術して切除しなければならなくなりますから、あるほうがマイナスなのでは？　と思わされることもしばしばあります。

ただし、草食動物などの盲腸は、消化のために大事な役割を果たしているそうですから、私たちが普段から無駄だと思っているようなことでも、どこかで誰かの役に立っているのかもしれません。

では、「必要な無駄」とはどういうものでしょうか？　これもこの世には様々あると思いますが、僕はゲームプログラム中の没データが思い浮かびました。

今、世間には様々なゲームが溢れていますが、実はこのゲーム、必要なデータしか入っていないというわけではないようです。実は、ゲームの進行それ自体には全く関係のないデータが見つかったという例は数多く報告されています。例えばゲームの開発中にデバッグ用途で使っていたマップや機能、装備などのプログラムや、開発中は実装されていたけれど製品版では惜しくも未実装に終わってしまったキャラクターやアイテム、イベントなども、場合によってはそのまま製品版のゲームソフトの中に残されています。

一体なぜこのようなことをするのでしょうか？　それは、これらの一見不要に思えるプログラムも、全体のプログラムの中に組み込まれているからです。

僕はプログラミングについて全くの不案内なので、細かい原理などはよく分かっていないのですが、ゲームデータ並みの複雑極まりないプログラムになると、どこかから1つ関係のなさそうなデータを削除しただけでも、場合によってはバグが起こってしまうのだそうです。

イメージとしては超巨大かつ複雑なドミノ倒しを作っているような感覚でしょうか。何しろどこか一枚のドミノを抜いてしまっただけで、全体に影響を及ぼしてしまう可能性があるというのですから、うかつなことは出来ません。しかし、没アイテムや没キャラクターなどをそのままにして発売することも出来ません。

そこで、普通にプレイしている分にはプレイヤーがアクセスできないようなところに纏《まと》めて隠してしまうという方法をとったわけです。こうすることによって、プログラム全体には異常を発生させることなく、製品版としてこの世に送り出すことが出来るようになるわけですね。

このようにして、実は**この世は万事が万事必要なことだけで回っているわけではありません。人間の経済活動は意外と非合理的な部分もありますし、生物としても不要な器官を備えて生まれてくるし、ゲームデータは必要なデータだけがパッケージングされているわけではないのです。**場合によっては必要の中に無駄を抱き込む必要も出てきます。

逆を言えば、**必要の中から無駄を見出すこともできる**ということです。一見必要不可欠に思えるようなことでも、実は無駄が潜んでいることもあります。

「今日から受験生モードになるから、一日に12時間勉強する！」は有効か

4つ目の「無駄な時間」は勉強する時間です。ついにここまで来たかと思われたかと思いますが、これも「復習の時間」と同じように、条件付きですから「じゃあ勉強しなくていいんだ！」とは思わないでくださいね。

さて、みなさんは一日の間に、一体どれほど集中できるでしょうか。僕なんかだと、一回1時間から2時間、その後は15分ほど休憩をとってからまた1～2時間というようなローテーションを組んだうえで、大体最長で8時間から9時間程度といったところでした。これ以上になると、文章や式の意味が全く頭に入ってこなくなるので、そうなったらすぐに勉強を切り上げて家に帰ることにしていました。

みなさんが一体どれだけ集中することができるのかということは、その人次第になりますが、大体10時間を超えると厳しいものがあるのではないかと思います。**特に、勉強を始めたての子が言いがちなのが、「今日から受験生モードになるから、一日に12時間勉強する！」といったような宣言です。これは大変危険です。**

なぜ今の宣言は危険なのでしょうか。これは初心者にはあまりに過酷すぎるトレーニングだからです。勉強だと分かりにくくなりますが、この「勉強する」という部分を「マラソンする」に変えてみましょう。

あなたは一年後の冬に行われる東京マラソンに参加しようとしています。これまでは全くマラソンなんてやってきたことはありませんでしたが、この大会の順位によって今後の人生が変わってくるため、あなたはこれに向けてとても張り切っています。絶対に上位入賞したいと意気込むあなたは、マラソン教室で先生に向けてこう宣言しました。「今日から僕はマラソンランナーとして、毎日12時間のトレーニングを続けます」と。

それを聞いた先生は真っ青になってあなたを止めるでしょう。なぜでしょうか？　それは、まだあなたに「マラソンランナー」としての厳しいトレーニングを積むことができるだけの身体が備わっていないからです。昨日までズブの素人だった人間が、正しいフォームも自分のペースも分かっていない中でいきなり昼夜を問わずに練習をするなんて、大変危険なことです。

もしこのトレーニング計画を本当に実行したら、あなたは大体30分経過時点あたりでこう思うでしょう。「え、まだ30分しか経っていないの？　12時間も練習するなんて言わなければよかった」と。

これは元々マラソンの話ではなく勉強の話でしたが、もし本当に12時間ぶっ通しで勉強したらそれはそれで大変です。次の日の体力は恐らく残っていませんが、それでも厳しい勉強ノルマはありますから、消化しなければなりません。

自分で組んだメニューの半分も消化できないうちに一日が終わっていくのを目の当たりにするのは、精神的にくるものがありますから、そのうちに計画を満足にこなせない自分が嫌になり、勉強しなくなってしまうでしょう。

実力不足に気が付かない「裸の王様」的勉強法

勉強は毎日続けてこそ効力が出るものですから、12時間勉強して一日休んで、というサイクルではあまり意味がありません。これならコンスタントに7時間ずつ勉強したほうがトータルで見ると勉強できていますから、この勉強時間は「無駄な時間」です。

また、12時間のうちの殆《ほとん》どをこっそりサボって、もしくは手を抜いて勉強時間にカウントする人もいるでしょう。もちろん手を抜いている時間は「無駄な時間」ですが、こういう人も危険です。全く実力なんて身についていないのに、勉強した時間だけが積み上がっていきますから、自分は十分に実力がついたと思いやすいのです。

まるで「裸の王様」です。自分に実力がないこととその原因から目を背けつつ、「なぜか学力が伸びない受験生」を自称するようになってしまうからです。こうなると、誰かが「あの人、全然勉強してないのに勉強しているふりをしているね」と叫んでくれるまでは自分でも自分の実力に気付くことができなくなってしまいます。

ですから、特に走り初めの最初の時期にあれもこれもと欲張って勉強ノルマを膨《ふく》らませることは大変危険なのです。

最短時間で英単語を覚えるには、紙に書くより音読せよ！

それでは、どのようにすれば無駄を作らないで勉強することができるのでしょうか。先程の例にも見えたように、勉強し初めの人が失敗するパターンは主に２つです。

１つは「自分には重すぎるノルマを課してしまい、潰されるパターン」。もう１つは「無意識のうちに効率の悪い勉強をしている、もしくは意識的にサボっているなどで、圧縮できるはずの勉強時間が無駄に使われているパターン」です。

前者については、自分のキャパシティと相談しましょうとしか言えません。普段からコツコツ勉強している人だったら、普段の勉強時間の1・5倍くらいまでならなんとか無理なく勉強できるでしょう。そこを足がかりにしていくのがいいと思います。一方、普段から勉強していない人ですが、大体5時間程度を目安として頑張ってみるのがいいと思います。

実際に勉強すると分かるのですが、5時間くらいなら一瞬で過ぎてしまいます。そのあまりの速さから「時間が溶ける」と形容する人もいるくらいで、本当に何かを勉強する時には時間なんていくらあっても足りません。一瞬で5時間経過するように感じ始めたら、7時間。8時間と伸ばしていけばいいでしょう。多分それくらいまでならすぐに行くと思います。

そして、後者について、すなわち効率の悪い勉強を無意識に選択してしまっているような場合については、常に自分のやろうとしていることから得られるものと、それに消費する時間のバランスを考えることで解決できます。

例を挙げて考えてみましょう。**〝apple〟という単語を暗記したい時、いくつか方法が**

あると思います。例えば、じっと見つめる。例えば、音読する。例えば、紙に何度も書きつける、などなどです。それで、この中の方法のうち、どれが一番時間効率がよく、仕事を成し遂げられるのかという部分を考えるのです。

この場合、僕なら迷わず「音読」を選びます。暗記するにはインプットとアウトプットを同時に行うことが有効ですが、紙に書きつける方法では、いちいちappleと五文字も綴っていくのが面倒くさいし時間もかかるからです。紙に書きつけるのに一回３秒かかったとして、音読なら０・２秒から０・３秒で終わります。もしこの通りなら反復行動一回あたりの時間効率が実に10倍以上も違ってきます。

このappleという単語を覚えるために10回反復したとして、**音読なら3秒程度ですが、紙に書きつける方法では30秒もかかります。この差27秒が、単語が増えれば1分、2分となっていき、積もり積もると1時間、2時間という膨大な時間に変化していくのです。**例え１秒の短縮であろうと、それは立派な時短であり、無駄の削減ですから、日頃から時間の効率に注意して、効率よく勉強するようにしていきましょう。

【第２章まとめ】

第2章では「どのようにして勉強時間を作るか」という視点から無駄な時間を削減する方法を考えてきました。使わなければ減っていかないお金と違って、時間はどう対策しても目減りしていくものです。ですから、時間を節約するためには「時間を使わない」のではなく、「無駄な時間を減らす」という方向で考えなければいけないのでしたね。

第1の「無駄な時間」の減らし方は、「ボーッとしている時間」の削減でした。勉強している最中で意外と多いのが、「ボーッとしてしまう時間」です。なんとなく集中できなかったり、休む時に休みすぎてしまったりすることってよくあることですよね。しかし、これはどう考えても無駄な時間ですから、削らなくてはいけません。

これは「休憩時間」と「自由時間」の境目が曖昧で、本来は勉強の疲れを癒《い》やすための時間であるはずの「休憩時間」と、自分の好きに使っていい「自由時間」とを混同してしまうからこそ起きるのでしたね。ですから、勉強中の休み時間は全て「休憩時間」であることを意識して、遊ぶことは控え、全力で休むことによって後に控えている勉強時間に全力を出せるようにしなければいけないのです。

そして、第2の「無駄な時間」の減らし方は、「考えている時間」の削減でした。学校などでは考えることが大変重要視されていますが、実はこれも場合によっては無駄な時間に入ります。一口に考えると言っても、それは「考え方」もしくは「考えるための手がかり」が既に手に入っているからできることであって、元々何も分かっていない状況で考えようとしても、何の成果も得られないのです。ですから、十分に道具が揃っていないような状況では、あれこれと考えすぎずに解答を確認して、そこから考え方を学んでいくという方法が有効なのです。

第3の「無駄な時間」は、「復習する時間」でした。復習自体は確かに大変重要な勉強方法で、受験勉強のほとんどを占めると言っても過言ではありませんが、この復習を過剰に行いすぎると、それはそれで時間の無駄になってしまうという内容でしたね。人間は確かに覚えたことをことごとく忘れてしまう生き物ですが、しかしあれもこれもと欲張らず復習する内容を取捨選択しなければ、非効率的です。

「新しく覚えた情報」と「長らく触れていない情報」の2点に絞って、自分がどの情報にいつ触れたのかについてしっかり管理していくことによって、効率的な復習に繋げられるようになります。

第4の「無駄な時間」は、勉強時間そのものでした。人間は集中するにも限界がありますから、一日に12時間とか14時間とか、無理な量の勉強をいきなりこなそうと思っても、負荷が重すぎて自分のためにならないという内容でした。

受験勉強は「如何にして倒れずに長距離を完走するか」というマラソンにも似た性格を持っていますから、一瞬全力で頑張るよりも細々と続けていくほうが最終的には結果としてかなりの違いが出てくるためです。

さらに、勉強中の無駄な時間を減らすために、勉強の効率についても考える必要があります。ある1つの勉強法が、実行すればどれだけの時間がかかるのか、そして実行した場合に自分にはどれだけのリターンがあるのか、という2点を常に考えながら勉強方法を選択することによって、普段から無駄を削減することができるのです。

このように、普段気にしていないようなところにも、実は多くの無駄な時間が眠っています。これらの無駄を切り捨てることこそが一番の賢くなるための近道となりますから、まずは、十分な勉強時間を確保できるように様々な無駄を見極めて、無駄な時間を切り捨てていきましょう。

第3章　「最高効率」で実践するための5つの方法

勉強で重視すべきは「質」か「量」か

受験勉強に限らず、**「勉強は質を重視するべきか、量を重視するべきか」**という議論があります。僕としては大変ナンセンスな質問であると思いますが、強いて答えろと言われれば、「質を重視したうえで十分な量を確保するべきです」と答えます。質か量かという質問は全く極端すぎて、両方ともをある程度確保しなければ効果は望めないからです。

例えば、質を重視した例を考えていきましょう。Aくんは勉強について効率化を突き詰めた結果、1時間で50ページ以上の問題集を解き進める勉強法を編みだすことに成功しました。しかし、彼は全くの怠け者ですから、一日に3時間しか勉強できません。

こうなった時、Aくんの取ることができる戦術は全く限られます。なぜならば、彼には時間がなさすぎるため、ただでさえ少ない時間を複数の教科に割《さ》くと、各教科に割くことのできる時間は微々たるものですから、一日に触れる教科数がかなり限られてしまうからです。しかし、入学試験というものは一日に複数教科を扱うものですし、何よりも半日以上かけて行われます。ですから、勉強の体力がなさすぎると、いくら頭が良かろうが途中で体力が尽きてしまって集中できなくなってしまいます。

では逆に量を重視した場合はどうでしょうか。Bくんは大変勉強に対してやる気があるので、毎日12時間勉強をこなします。しかし、彼は効率化ということを全く考えていないため、12時間かけてようやく単語を200個覚えるだとか、問題集を10ページ解き終わるといったような勉強を繰り返します。

こうなった場合にはAくんよりもピンチです。受験勉強で扱うべき量は莫大です。例えば、世界史や日本史といった教科1つをとっても、これらの教科単独で覚えるべき単語数は数千にも登ります。さらに、これらの単語はただそれだけで存在しているものではなく、事件ならコトの発端やその経過が、人物ならその由来や成し遂げたことが、それぞれおまけで付いてきます。これらを関連付けて覚えなくてはいけないので、異常なまでの量を整理しつつ暗記しなければならないのです。ですから、質を度外視したガムシャラな勉強法ではいつまでたっても勉強は終わりません。

このようにして、**質と量どちらかに偏《かたよ》りすぎるとろくなことがありません**。しかし、時間の効率を考えない人は先程述べたBくんのような勉強法をとってしまいがちです。1日で英単語を200個も覚えることは確かにすごいことですが、そのために10時間以上もかけていたのではお話になりません。

ですから、**何かしらの試験対策で勉強を行いたいのであれば、まず質を重視しながら勉強計画を練ったうえで、それを長期的にこなしていかなくてはなりません。質と量のどちらもが重要であると述べたのはこのためです。**

勉強時間の確保については第2章で話してきましたから、これからは質を重視した勉強の方法について考えていきたいと思います。

必要なのは時間の「管理能力」と「使用能力」の両方

前章で述べてきた通り、時間は限りあるものです。そして、これは何もしないでもドンドン目減りしていきます。時間は私たちの身体を通してあらゆる働きに変換することができますが、しかし、これは一方通行な変化です。つまり、時間をかけてたくさんの単語を紙に写したり本を読んだりした後に、その紙を破り捨てたり、本の内容を忘れたりしても時間は返ってくることはありません。

その時間を費やして得た行動の結果がどうあれ、常に未来に向かって流れ続けるものです。ですから、一度使ってしまった時間を取り戻すということは誰にもできません。私たちに使えるのはせいぜいが「有効に」時間を活用することくらいでしょう。

私たちが「有効な時間の使い方」という際には、2つの方向性を持ってこれを語ることができます。1つは第2章で話したような、**「どうすれば時間を無駄に使わずに済むのか」**を突き詰める方向です。これは自分が使える時間の絶対量を増やすための動きです。マラソンで例えて言うなら、持久力をあげるための方法です。

そして、もう1つはこれからお話ししていく、**「効率よく時間を使っていく方法」**です。これはマラソンの例えで言うなら、スピードを上げるための方法と言えます。

そもそも、第2章の方法を使ってどれだけ時間を増やしたとしても、その時間の使い方が下手だったならば、終わる仕事も終わるはずがありません。

マラソンの例えで考えてみましょう。Aさんはスタミナがあるので、フルマラソンを3時間台で走り切ることができます。その代わり彼は短距離の世界では全く結果を残すことができません。一方Bさんはスタミナが無い代わりにスピードがあるので、100メートルを10秒前半で走り抜けることができます。その代わりにトップスピードを維持したままで長い距離を走ることはできません。

普通、このような競技で求められるのは強い専門性です。マラソンの選手は短距離走の大会に普通出場しませんし、その逆も然りです。そうなると、マラソンの選手は長距離を早く走り切るための、短距離走の選手は短距離を素早く駆け抜けるための、それぞれの目的にあったトレーニングを積むことによって、各々の才能を特化させることが最善手となります。しかしこれは、競技の話だからであって、実際のところ求められるのはスタミナがあってスピードも持っているバランス型の人間のはずです。

時間の話に戻ってくると、どれだけスタミナ（＝使える時間）があってもスピード（＝時間の効率的な使い方）が身に着いていなければ意味がないし、その逆も然りであるということです。

時間をたくさん残すことに成功しても、効率の悪い方法でダラダラと続けていたら大したことはできないでしょうし、逆に短時間で効率よく作業をすすめるのがうまくても、時間の絶対量が少なければ大きな仕事に取り掛かることなどできようはずもありません。

もしあなたが勉強の選手でないのであれば、**必要なのは時間の管理能力と時間の使用能力の両方で、どちらか1つを極めたからそれで良いという話ではないのです。**

３つの効率の良い時間の使い方

それでは効率よく時間を使うとはどのようなことを指すのでしょうか。これもいくつかのパーツに分解しながら考えていきましょう。僕の考える効率の良い時間の使い方は次の３つです。

- **指示内容を迅速に把握する。**
- **常に目的意識を持って思考する。**
- **時間の価値を意識しながら行動する。**

「最高効率で実践する方法」とはすなわち、**「指示内容を迅速に把握する理解力を持ち、常に目的意識を明確にしながら、すなわち自分が何を問題にしていてその解決のために何を考えているのかを意識しながら、思考し、やるべき時にやるべきことをする」**ということになりますが、これだけではあまりに不親切かと思われるので、ここからさらにこれらを分割しながら説明していきたいと思います！

その１：「理解力＝読解力」を伸ばす

「空気を読む」という言葉があります。考えてみればおかしな言葉です。空気は目に見えない透明なものなのですから、そんな物を読めるはずがありません！　でも多くの人は頑張って空気を読みながら生きていきます。これはもう死語になりましたが、一昔前には「空気が読めない」の略で〝ＫＹ〟という言葉も流行りました。それくらい、私たちにとって空気を読むことは重要なスキルなのです。

では、空気を読むって一体何でしょう。どうすれば空気を読めることになるのでしょうか。

僕はどちらかと言うと空気が読めないタイプの人間なので、ついうっかり変な発言をしてしまい、あとになってから空気が読めるタイプの友人に「お前もっと空気読めよ」と怒られてしまったことが何度もあります。でも僕としては空気を読んだ結果なのだから、仕方がありません。ですから、僕の考える空気読みと世間一般の考える空気読みは少し間が空いているのかもしれません。

僕はそれまで空気を読むとは、「その場の状況を考える」というような意味だと思っていたのですが、その友人からすれば「その場の雰囲気と、その場にいる人々全員の状況、境遇、ステータスを考える」といったような定義になっているのかもしれません。そう言えば彼はよく気配りができる人で、どこにいってもなぜか好かれるという得な人格の持ち主でしたが、それは全てこのような細やかな周囲への気遣いに集約されているのかもしれませんね。

ただし、これはいわゆるお勉強の場で用いられる「読解力」とは何の関連もありません。国語の問題というのは別に空気を読むのが上手かろうが下手だろうが関係なく、誰でもトレーニングをすれば解けるものなのです。なぜなら、受験勉強に関する、すなわち学力的な意味での**「読解力」とは単なる「情報の整理能力」であるに過ぎない**からです。

評論文のみならず、小説に関しても、読解力というのは登場人物の境遇に共感して涙をぽろぽろ流すようなスピリチュアルな能力ではなく、情報を整理して機械的に答えを導き出すための状況把握能力にすぎません。すなわち、「理解力」と言い換えてもいいかもしれません。

一文から、どれだけ早く、どれだけ多くの情報を得られるか

第1章で僕は色々なことを言いましたが、全教科について家庭教師を雇ったり個別指導を頼んだりできるような財力のあるご家庭は少ないので、多くの学生は参考書を頼ることになります。ですから、参考書で勉強するというところに辿《たど》り着く学生は非常に多いです。

僕が選んできた参考書はどれもが受験業界内である程度の評価を得ている名著のようなものでした。なので、僕以外にも多くの人がこれを使用していたはずです。それではなぜ参考書を使っても伸びる人と伸びない人に分かれるのでしょうか。

それは、理解力があるかないかの違いによるものだと僕は考えています。すなわち、本に書かれている内容を理解することが出来たか、という問題です。読解力があったかどうかというように問題を置き換えることもできるでしょう。

最初に断っておきますが、僕はさほど読解力がある人間ではありません。しかしながら、本を読むことについては小学生時代からある程度行っていたので、少なくとも活字嫌いではありませんでした。では、なぜ理解力があると勉強が捗《はかど》るのでしょうか。

理解力を高めるという方法は先程述べた通り「指示内容を迅速に把握する」ためのもの

となります。そのための方法として挙げるのは、「読解力の強化」です。本を使って勉強していく以上は、どうしても文字を読まなければ勉強は進みません。その本のある一文から、どれだけ早く、どれだけ多くの情報を得られるのかということが非常に重要になってきます。ですから、文章を読み取る力というのは大変重要なものになってきます。

とはいえ、どのようにして読解力をつければよいのでしょうか。これを考えるには、まず「読解力とは何か」について考えなければなりません。

文章を「理解できる人」＝「自分の言葉で言い換えられる人」

そもそも読解力とは何なのでしょうか。僕の考えでは、読解力は「要約力」です。元々は僕も「読解力とは何か」という定義が分からない人のうちの一人でした。「読解力」をつけましょうと言われても、それが何なのか分からなければトレーニングのしようもありません。

ある時、読解力について考えている時に、発想を逆転させることにしました。つまり、**「何が読解力なのか」が分からないのであれば、逆に「読解力がある人」を想定して、そ**

の人と、自分との間の差を埋めれば、自分も「読解力がある人」になることができるのではないか？　と考えたわけです。

「読解力がある人」とは、つまり「ある文章を読んで理解できる人」のことです。そして、「文章を理解している」ということを、僕は**「筆者の言いたいことを自分の言葉で言い換えて説明できる」**という状態であると理解しました。

例えば、ある教科書や参考書の一節を説明してくれと頼んだ時に、分かっていない人はその教科書の例や説明をそのまま使って説明するでしょうが、しっかりと分かっている人ならば別の例を持ち出したり、さらに嚙み砕いたりして説明することが可能なはずです。

ということは、自分の言葉で言い換えられるまでその文章の意味を理解することが出来るということが、文章の理解の条件となります。ですから、**「文章を理解できる人」というのは、「文章を自分の言葉で言い換えられる人」**となるわけです。

「読解力」とは、実は文章を「要約する力」のこと

それでは、言い換えるとはどういうことを指すのでしょうか。文章に対するあらゆる操

作が言い換えとなりえますが、その中でも特に「要約」に注目したいと思います。文章を要約するというのは大変なことです。その文章で何が言いたいのか、どこが大事なのか、どの部分はなくても話が通じるのかということが分かっていないと要約はできません。ですから、「言い換える力」は「要約する力」と言い換えることが出来るのではないでしょうか。

このように考えると、**「読解力」＝「文章を理解する力」＝「言い換える力」＝「要約力」**というように一本の線で繋がりますね。つまり、巷で噂の読解力というのは、実は文章を要約する力だったのです。

多少話は変わってきますが、何か分からないものに出合った時に、その正体を看破するための考え方として、「逆から考えていく」ということは有効です。**「逆から考える」というのは、今やったように「読解力とはなんだろう」というアプローチを仕掛けるのではなく、「読解力がもし自分にあったら、どういう人間になっているのだろう」というように、発想を逆転させて考えていくという方法です。**

ほかにも、「このためには絶対に○○が必要である」などと言われた時に、「では、○○がないとどうなるのだろう」と考えたり、「Ａくんは内向的で、Ｂくんは外向的です。彼らは必ず真逆の行動を取ります」と言われた時に、「Aくんが家にいる時、Bくんは何をしているのだろう」と考えたりすることなどが当てはまります。これは一見なんでもないように思えますが、この思考方法を採用することによって、視野が爆発的に広がります。

これはこれまでは光が当たっていなかった部分にライトを当てるという行為であり、つまり物事の全体像を把握していく行為だからです。1つの物事を多角的な視野から見るということはそれだけ新たな発想のためには重要であり、役に立つことなのです。

文章という「魚」の中で一番意識すべきは「尾」の部分

閑話休題。それでは、どのようにすれば「読解力」＝「要約力」は伸ばせるのでしょうか。まず、要約のコツとしては、次の2点が挙げられます。

- **メイントピックを見つける。**
- **話の着地点を見つける。**

メイントピックというのは、その文章が一体何について書かれているのかということです。これについては、文章を読んでいくうちになんとなく分かっていくと思いますが、1つ注意があります。それは、文章全体のメイントピックと部分部分を抜粋した状態でのメイントピックとでは異なる場合があるということです。

例えば、この本のメイントピックは「どうすれば時間もお金も節約しながら有効な勉強ができるのか」ですが、今あなたが読んでいるこの章のメイントピックは「要約することで読解力がつく」となっています。しかし、この本全体で見るとこの章は立派に「節約勉強法」の一部となっていますし、逆にこの章のメイントピックが全体の方針をずらしているようなこともありません。

また、ある文章をマクロに見た時とミクロに見た時では結論が異なってくる場合があります。ですから、要約する時には「自分がその文章のどこからどこまでを要約した」ということについて意識的でなければなりません。

次に話の着地点についてですが、これはその文章の結論の部分を確認しようということです。**文章全体を一匹の魚で例えると、文章の書き出したる「頭」があれば、必ず文章の結論たる「尾」があります。この頭の部分はもちろん確認するべきなのですが、この文章**

という魚の中で一番意識するべきなのは尾の部分なのです。

なぜなら、その文章の筆者が一番言いたかったことがそこに詰まっているからです。文章を書く人というのは、読み手に何かを伝えたいがために文をしたためます。それは文章のうまい書き方だったり、地球の環境についての考えだったり、はたまた自分オリジナルの勉強法だったりと様々ですが、この部分については文章を書く人みんなに共通しています。誰かに何か伝えたい思いがあるがために、わざわざ数万字という字数をかけてまで本にして出版するわけです。

とはいえ、一番言いたいことだけを言っても理解されない可能性があります。今回の僕の本だって、「勉強時間の無駄と勉強にかけるお金の無駄を省きましょうね！　あとはよろしく！」といってもよいのですが、それでは流石《さすが》に投げやりすぎます。人に伝えるために書いているのですから、せめて一定数の人には分かってもらえないと書いたかいがありません。

ですから、ほとんどの書き手は自分流に分かりやすくしながら本を書きます。そのために、話の枕として「はじめに」があったり、わざわざ章仕立てになっていたりするのですが、この時に大事なのは「冒頭部分で核心に触れすぎても理解されないだろう」ということです。

本によっては冒頭から核心に触れていくものがありますが、これも大抵の場合は少し提示するだけです。話の頭の部分で核心に触れても、きっと話が突飛すぎて理解されないからです。これが、「結論は終わりのほうに配置されやすい」という通説の理由です。だからこそ、文章の頭の部分ではなく、尾の部分をしっかりと確認するべきであるとしたのです。

このようにして文章の骨子を確認したら、あとは文章の論理展開を損なわないように要約文を書いていきます。**要約力をアップさせるためにはとにかく要約を繰り返し、誰かにその要約を添削してもらうというのが一番良い**です。

ただ、添削を受ける前にできる要約力アップのテクニックとして、「**キーワード・キーフレーズ列挙法**」というものがあります。これは文中に出ていた大事だと思う文章や単語を抜き出して、それらを論理展開に沿って繋いでいくというものです。基本的に、キーワードやキーフレーズは筆者が何回も繰り返して書いていたり、その段落の結論として置かれている場合が多くあります。特に繰り返して書かれている場合、筆者がこれについて「言い換え」をしている場合が多いですから注意しましょう。

この方法では、最初はたくさん列挙してしまうと思いますが、心を鬼にして自分がいらないと思ったものからズバズバ切っていくのです。**要約で一番重要な考え方は「重要なものから入れていく」**です。要約は優先度の高いものから順番に入れていく作業ですから、この優先度付けの作業が一番の要約のトレーニングとなるわけです。ですから、まずは手近な本を対象として、これを通して読解力を鍛えましょう。

その2：「分からない」を具体化する

ここまで話してきて何なのですが、実は、僕は勉強が好きではありません。むしろ勉強は大嫌いでして、中学校に入学してから高校3年生まで、定期試験の対策を除けば本当に1秒たりとも勉強していませんでした。

定期試験だけは特待生待遇の維持のためにある程度勉強することを余儀なくされましたが、それでも試験3日くらい前から適当に3時間程度ずつ勉強して終わらせていました。ちなみに、それ以外の時間については基本的にゲームをして過ごしていました。

ですから、受験勉強を始めた時にはあらゆることが苦痛でした。何も勉強していなくとも模試の成績はほぼ毎回学校内1位でしたから、少し天狗になっていたところもあったのかもしれません。自分はどちらかと言うと勉強ができるのかもしれないと結構調子に乗りながら参考書を開いたのですが、そのどれもこれもが知らないこと、もしくは忘れてしまったことばかりでした。これから勉強しなくてはならないことの量が膨大であることを察した日には、本気でゲームしかしていなかった自分が将来性のない人間でしかないように思えました。

しかし、そうはいっても事実過去は過ぎ去ってしまいましたし、自分にはまだまだ必要な知識が身に着いていないのですから、そのギャップを埋めなくてはいけません。こうなった時に、一番最初に思いついた勉強方法が「分からない」という「問いを具体化する」というものでした。自分が何について悩んでいるのかさえ分からない状況が多く、それ自体が大きな時間の無駄であるということに気付いたのです。

前記したように、参考書から多くの情報を効率よく得るということは、本を使って勉強するうえでの最低限の条件となります。しかし、**知識や情報を得るだけでは勉強は完成しません。なぜならば、どのような知識であっても、適切な場面で適切に用いられてこそ、その真価を発揮するためです。**

ですから、知識を得た後には、その知識をどのように使うべきかということを考える力、すなわち「思考力」が重要となってきます。しかし、思考力とは一体何を指すのでしょうか。

文章のどの段落までは読めていて、どの段落から読めていないのか

第2章の［その2］でも述べてきたように、考えるという行為は実は大変難しく複雑なものです。僕はここまでで**「思考とは分かることと分からないことを分けることである」**と述べてきましたが、これが正しいという確証はどこにもありません。

しかし、もしも思考の本質というものが、僕が述べてきたように「情報を整理すること」であるのであれば、**効率の良い思考の方法とは「頭の中でいち早く正確に情報を整理するための方法」**ということができるでしょう。

ここでは思考を「情報を整理すること」と定義したうえで、ここからは、「常に目的意識を持って思考する」ための方法を3つ考えていきます。まず1つ目は「『分からない』を具体化する方法」です。

第1章の［その2］「思考時間の無駄を削る」でも述べたように、「思考しているようで

思考していない時間」というのは大変無駄です。とはいえ、どうやってもこの状態には陥ってしまうもの。それを避けるための方法が、この「分からない」を具体化するというものです。

考え方としては単純で、今自分が一体何に悩んでいるのかについて常に自覚していようというものです。この「分からない」を具体化するには２つの方向からのアプローチが存在しています。**「分からない」範囲を徐々に絞り込んでいく方法と、「分かる」と「分からない」の間のギャップを考えることにより、問題の本質がどこにあるのかを把握するという方法**です。

前者の「分からない」範囲を徐々に絞り込んでいく方法については、英語や国語など、文章を相手取るタイプの問題で役に立ちます。例えば、今あなたがある英語の問題で文章が読めずに悩んでいるとします。その時に取ることの出来る方法は１つです。

それは**「なぜ分からないのかを考える」**ということです。どんな問題であれ、まずは原因が分からなくては対処の仕様もありませんから、どうあってもこの道は通ることになります。**逆にこれ以外の方法で悩もうとしても、その先に道はありません。「何が分からないのか分からない」という思考のデッドロックに陥ってしまいます。**

原因を究明するうえで考えなくてはならないことは、「その文章のどの段落までは読めていて、どの段落からが読めていないのか」ということです。どんな文章であれ、分かる部分と分からない部分が混在しているはずです。仮に一行目から分からなかったとしても、一段落目全体から見てみたら、分からなかった一行目の意味も分かるようになったということもあるでしょうから、そういう場合には「分かる」としてカウントしましょう。

模範解答を見ても答えへの道筋が分からない場合

さて、これをしてできるのは自分の分かる部分と分からない部分の腑分け、すなわち思考の具体化です。ここで分からない部分が具体化できたら、次にその段落のどの文章が分からないから読めていないのかということを確認していきます。

本が章の集合体で、章は小見出しの集合体であるように、各小見出しも各段落の、そして各段落もまた、各文章の集合でできています。そして、その段落が理解できないということは、すなわちその段落のキーワードやキーフレーズがうまく読み取れていないということになりますから、それがどこにあるのか、なんなのかを再度見直してあげる必要が生じるわけです。

このようにして、分からない段落のうちの特に分からない一文を発見することができたら、その文章を文法的に精読していきましょう。**「精読」とは、その文章を文法的に分解していく作業のことで、主語と述語をしっかりとってあげたり、関係詞や形容詞、形容動詞などがその文中のどこにかかっているのか、関係詞の場合には、どこからどこまでが関係代名詞句なのかを考えたりすることによって、直感ではなく理論に基づいて文章を理解する試みを指します。**

これは大変面倒くさい作業なのですが、かなり厳密に文法的に文章を分解していくため、繰り返すうちに文法的な解釈間違いをしなくなります。英語を学んでいる方には、文法が終わったら必ず精読をしろと言うように僕は指導していますが、それもこの精読のプロセスが頭に入っていないと、少しでも分からない文章に出合った瞬間に思考が停止してしまうためです。

このようにしてその文章の構造と意味を把握したら、次はその段落全体でのその文章の立ち位置を考えます。そうすることで、段落全体の意味のとり方を考え直し、さらに文全体の中でのその段落の立ち位置についても考えることが可能になります。

もう1つ例を出しましょう。例えば、あなたが今数学の問題で悩んでいる時。第2章［その2］でも述べたように、分からなければ答えを見てから考えるべきですが、例えば模範解答を見ても答えへの道筋が分からないような問題に出合ってしまったらどうすればよいでしょうか。

そういう時には、解答の一行目から読み込んでいき、一行ずつ分かるか分からないかを精査していきましょう。そして、分からない行に差し掛かった時に、「自分がなぜ分からなくなってしまったのか」の原因を考えます。すなわち、その問題の行の前後でどのような変化が起こっているのかということの詳細について考えてみます。

そうすると、例えば「式変形がなぜそのような形で行われるか分からない」だとか、「なぜこの線とこの線が平行であると言い切れるのかが分からない」といった、自分がなぜその問題で躓《つまず》いているのかが具体的に分かるはずです。

「行間を埋める」力を活用する

このように数学の問題で解答を見ていく時に特に必要になる力として「行間を埋める

力」が挙げられます。これも「分からないを具体化する方法」の1つです。この「行間を埋める力」は、分かっていることと分からないこととを繋ぐための力で、特に説明をする時に役に立ちます。

例えば、あなた、もしくはあなたの子供が親にスマートフォンをねだるとしましょう。その時に「みんな持っているからスマートフォンが欲しい」と言われたら、親は果たしてスマートフォンを買ってくれるでしょうか。恐らく難しいのではないかと思います。これは親の中で「みんながスマホを持っていること」と「あなたにスマホが必要な理由」とが結びつかないからです。

ここには論理展開のギャップがあるので、これを埋めてあげる必要がどうしても生じてきます。ですから、この場合には例えば「みんながスマホを持っていてスマホゲームの話題がメインである」「スマホを持っていない自分はその話についていけず、友達と距離感を感じ始めている」「こうなると実際の学校生活において友達が減ってしまったり、仲間はずれになってしまったりする可能性が出てくる」「だから、みんなが持っているからスマホが欲しい」というように、２つの理由を繋いであげればよいのです。

この「行間を埋める力」を読む時に活用することによって「なぜこの前提からこの結論

に至るのだろうか」という発想から、間のギャップを埋めることができます。先程も述べたように、間のギャップを埋めるということはそのまま「分からない部分」を特定するために非常に有効な手段ですから、結果として「分からないを具体化する方法」として大変役に立ちます。

具体的な形で考えるポイントを絞ってあげることにより、考える際の時間が削減でき、結果的に効率よく考えていくことが可能になります。考えていく中で一番問題となるのは分からないことを解消する方法ですが、それを考えるためには、まず自分が何について分かっていないのかを具体的に特定してやる必要があります。

ですから、もしも壁にあたってしまった時には一体どのような壁なのか、どのように考えればその壁を突き崩すことができるのかという一点について考えられるようにしましょう。

その3：思考を言語化する

これもまた「常に目的意識を持って思考する」ための方法となります。先程までの「その2」では、「自分が一体何を分かっておらず、その解決のために何を考えるべきなのか」について述べてきました。ここからは「どのように考えていくか」について考えていこうと思います。

僕は中学高校とずっと吹奏楽部に所属していたのですが、中高の6年間はずっとゲームと楽器の練習だけをして過ごしていました。ですから、学生時代の思い出というものがあまりありません。学校にいる間はひたすら音楽室に籠《こ》もって楽器を吹いていましたし、家に帰ったあとは夜寝るまでゲームをやり続けていたからです。高校生の時は何をしていたの？　と言われても、ずっと楽器をしていたというような印象しかありません。

もちろん、友人と遊びに行ったことは何度もありますし、修学旅行にだって参加はしています。それでも、どこかへ「行った」という事実は覚えているのですが、その事実だけがフワフワと頭の中に浮かんでおり、そこで何をしたのかや、誰と行ったのか、どんな天気だったか、どんなことを考えたかなどはほとんど覚えていません。ですから、思い出話に花を咲かせている友人たちの輪になかなか入りにくく、気まずい思いをする時もあります。

大学だって同じです。僕は東京大学に入ってから病気の都合でやめてしまうまで、都合

3年間に渡って東京大学運動会応援部の吹奏楽団に所属していました。簡単に言えば応援団付属の吹奏楽団体です。ここでも色々な出来事があったように思うのですが、二年前や一年前の自分がここで何をしていたのかはあまり良く覚えていません。多分応援に行ったり楽器を練習したりしていたのだろうなぁという予想はありますが、具体的な出来事は全く思い当たりません。

なぜこんな話をしているのかと言うと、**意外と人間の思考というものは輪郭がボヤケたものである**ということを言いたいからです。普段話す時などはあまり気にしたことはないと思いますが、自分の中のイメージを具体的に口に出すというのは大変難しいことで、大抵の場合には途中で「〇〇な感じ」というようにぼやかしてしまうと思います。これは思い出す時のみならず、物事を考える時にも言えると僕は思っています。

「効率よく思考する」人と「効率よく思考しない」人の差

第2章や本章の［その2］で何度も繰り返しているように、思考するということは大変難しいことです。時間を無駄にせずに満足に思考を巡らせるということは、「考えるべき問題がはっきりしている」ということがまず大前提としてあります。そして、この思考の目的となる「問いの具体化」こそが大変難しいのでした。

これについては本章の「その2」で見てきましたが、「問いの具体化」を行ったとしても、これは考える前のステップであって、実際に考えるところにはまだ至っておりません。効率よく時間を使っていくというのならば、実際に考えるところについても効率よく思考していかなければなりません。それでは、どのようにすれば効率よく思考することができるのでしょうか。

これは大変愚かな問です。「効率よく思考する」という理想像が全く固まっていないから、これについていくら考えても理想に辿り着くことなどできるはずもありません。ですから、逆に考えていきましょう。

「効率よく思考する」人と「効率よく思考しない」人では、一体どのような差があるのでしょうか。想定されるギャップとして挙げられるのは、例えば「思考が脇道に逸《そ》れにくい」というものがあると思います。

つまり、**効率よく思考することができる人は最短ルートを通って答えに辿り着くことができるが、それが出来ない人は回り道をしてしまうのではないか、**ということです。

それでは、この回り道というのはここでは何を指すのでしょうか。思考するうえでの回り道、例えば、「集中しきれずに頭がこんがらがってしまっている時」もしくは「関係ないことを考えてしまう時」などが当てはまるのではないでしょうか。

前者については第2章の「その1」で話したような内容にも通じる部分がありますね。そう、「ぼーっとしている時間」の一種です。前者と後者は「何かについて考えているか否か」という部分で全く異なっています。つまり、後者については本筋とは関係のないことだとしても、一応考えている以上は立派な至高の時間に入るということです。

関係ないことを考えてしまう時というものは無いようで意外とあるもので、今この本を書いている僕もリビングから聞こえるテレビの音から「このCMソングはいい曲だな」とか「この声はタレントの○○だな」とか、本書を書くことに対して全く関係のないことを考えてしまうことがあります。

実際試験中にもこの発作は度々あるもので、特に数学の試験中など、考え込んでいる時に限って起こるのでした。こうなると厄介なもので、なかなか戻ることが出来ません。というのも、思考というものは目に見えない道筋ですから、自分がこれまでに辿ってきた思考の道筋を一度見失ってしまうと、一息にその尻尾を捉え直すことは困難だからです。ですから、**「効率よく思考する」のであれば、この「関係のない思考」をしないようにするという対策をとるのが一番良さそうです。**

「関係のない思考」を思考回路から追い出す

それでは、どうすれば「関係のない思考」を自分の思考回路から追い出すことができるのでしょうか。

まず「なぜ関係のない思考をしてしまうのか」ですが、これは「集中するべき時に何らかの原因で集中しきれていないから」だと僕は考えています。何らかの原因とは、例えば今の僕のように「テレビの音で集中を乱されているから」だとか、「目の前の問題が分からなさすぎてパニックになってしまったから」だとか、もしくは「背中が痒《かゆ》くて気になって仕方がないから」かもしれません。

どれにしろ、「集中を乱されてしまう」というのが問題としてあるようなのですが、これをどうにかするのは難しそうです。なぜなら、集中するということは人間にとって自然の状態ではない、つまり頑張っている状態ですから、一生走り続けられる人間がいないように、一生集中し続けるのは到底無理な話というものです。

ですから、逆にこう考えましょう。**「集中できなくなるのは仕方がないから、集中できなくなった後に、すぐ本筋へ復帰できるような仕組みを作ろう」**というように。こうなると、話は簡単になります。

そもそも、なぜ思考が脇道に逸れた後にすぐに復帰できないのかですが、これは、それまで自分が何を考えていたのか忘れてしまうからでした。思考というものは目には見えないので、いくら頑張って考えていても一瞬離れると霧散してしまうということがよくあるのです。だからこそ、一度途切れた思考を復活させるのは骨が折れる仕事だったのです。

ただ、これは逆に言えば、「一度思考が途切れた後に、すぐに考えていたところに戻れるような仕組みを作れば良い」ということですよね？　つまり、考えていたところが分かるようになればいいのです。

そのために必要なのが、「思考の言語化」プロセスです。これは読んで字のごとく「今自分が考えていることを言葉に起こす」という作業です。**方法は簡単で、今自分が何に迷っているのか、何を考えるべきなのかなどについて言葉に起こす、つまり文字として書き付けたり、ひとり言としてアウトプットしたりすればよいのです。**

「ひとり言」で、誰もが「頭の回転が早い」人になれる

まだここまでだと解像度が低いように感じますから、具体的な例を考えてみましょう。
僕は普段から何がなんだか分からなくなってしまった時に、様々なことについてこの方法を用いるようにしています。

その時の使い方は本当に単純で、「自分は今何が分かっていないのか」「自分は何が分かることが目的なのか」「今自分に分かっていることは何なのか」「足りない情報は何なのか」といったような要素に分けることを意識しながらアウトプットを行います。実際に今この本を書いている僕も何を書くべきなのか曖昧《あいまい》になってきているので、「自分が今書かなければいけないことは、『思考の言語化』の具体的な例で、具体的な例としてどこまで書けばいいのか悩んでいるから手が止まっている。ただし、『今分かっていないこと』と『最終的に分からなければいけないこと』と『自分に何が分かっているか』あたりは最低限書かなければいけないことだろう」というようにひとり言をつぶやきながら作業を進めています。

ひとり言は傍目《はため》から見ると大変不気味なように思われてしまうのですが、**これを口に出**

しながら作業を行うだけで、次に何を行うべきかが非常にクリアに見えるので、単純な作業効率アップを望むのであれば、有効な手段ではないかと思います。

え、たったそれだけですか？　と思われる方も多いと思います。しかし、これは思考を本筋に戻しやすくなる以上に大きな効果を秘めています。この思考の言語化という方法は第1章でも少し話した通り、思考を整理する上で非常に役に立つ作業です。

人は自分が思っているよりも抽象的なレベルでモノを考えているので、自分の考えというものは大変あやふやなこともしばしばあります。しかし、この言語化作業の場合、作業を通して否が応でも自分の考えをある程度の長さの文章にまとめて話す、もしくは紙に書くということを強制されます。

思考イメージの段階では、文章というよりも絵に近いものだと僕は考えていますから、恐らくなかなか思った通りの文は作れません。国語の解答で思った通りの答えがなかなか作れないのはこのせいです。

しかし、思考を一本化して考えをまとめることに成功すると、文章がスラスラと出てきやすくなります。頭の回転が早いとか遅いとかよく言いますが、その一部というのは、結局、この思考を文章にする能力が高いか否かなのではないかと僕は考えています。

そして、この能力は訓練次第でいくらでも伸ばせるものですから、**誰しもが「頭の回転が早い」人になれる**ということです。

思考を言語化する作業はこれ自体が言語化するための訓練となりますから、こまめに続けていきましょう。なるべく擬音や指示語に頼らず、具体的かつ詳細に物事を記述することがコツです。

その4：「できる人」とのギャップを埋める

この世には頭のいい人というものはいるもので、そういう人は僕なんかでは解けないような問題でもサラサラッと簡単に解いてしまいます。僕は元々偏差値で言うと50ちょっとというごく平均的な能力を持った学生でしたが、テレビに出ている東大生の姿を見て「一体どうすれば、彼らのように簡潔かつ正確に思考ができるのだろう」というように考えていました。

この意識の根底には「たとえ東大生と言えども、僕と彼らの間には大きな差異は無いはずである」という考えがありました。この世にはもちろん「才能」というものはあるでしょうが、それでもテレビに出ている東大生と僕、もっと言うと僕の同級生の人たちとはそこまで大きな才能レベルの開きがあるようにも思えなかったのです。

才能などの先天的な埋めがたいギャップに阻《はば》まれていないのであれば、彼らも努力によってその域に辿り着いたことになりますから、彼らの方法論や思考方法をある程度コピーすることに成功すれば、僕も彼ら東大生と同じ程度の能力を持てるようになるまで成長することができるはずです。

なので、高校3年生になって本格的に勉強を始めるようになってからは、**「どうすれば自分は『できる人』と同じような考え方ができるようになるのだろうか」**ということばかりを考えていました。

この**「『できる人』とのギャップを埋める」という勉強法**は、「分からない」を具体化する勉強法と並んで、僕の勉強方法の根幹をなす重要な考え方になります。この章の「その2」や「その3」で見てきた「目的意識を持って思考する」方法は、全て「問題を解いている最中の思考法」でした。

これに対して、ここから紹介していく「『できる人』とのギャップを埋める」思考法は、問題を解き終わった後、問題の解答を見た時に行う思考法になります。どのようにすれば

「できる人」になることができるのか、一緒に考えていきましょう。

そもそも、勉強というものは問題を考えながら行うもの、もしくは新しい単語などの知識を覚えることによって行うことであるはずです。それでは、なぜ問題を解き終わった後に考える必要があるのでしょうか。実はこの問に答えることは出来ません。なぜならば「勉強は問題を解くことや知識を得ること」という認識自体が間違っているからです。

むしろ、**勉強というものは「解き終わった問題を見る時」にこそ、一番行われることなのです。それは、ここに一番の成長のチャンスが眠っているからです。**ここまで見てきたように、問題を解いている最中に思考しようとしても、思い浮かばないものは仕方がありません。それが知識不足によるものだったら覚えれば済む話ですが、もしこれが「自分が知っているはずの知識」が思い浮かばなかったからということだったらどうなるでしょうか。

それは、あなたの「発想力」の欠如にほかなりません。問題が難しくなればなるほど、発想の転換を求められる場面は多くなります。**この「『できる』人とのギャップを埋める」思考法は、あなたの発想力を豊かにするための助けになります。**

今解けない問題は、明日自力で確実に解けるようにする

この発想力というものは、「何も単語が思い浮かばなかった」であったり、「公式をど忘れしてしまった」ということに限りません。そうではなく、例えば「二本の線が平行であるなら補助線を引けば錯角や対角などを用いて問題が解けるかもしれない」であったり、「1つの英文の中に、接続詞もなしに動詞が複数置かれているのだから、倒置が起こっているのかもしれない」であったりといったような、発想ができるための能力になります。

しっかりと勉強している人ならば「二本の平行線と角の関係」については学んでいるでしょう。しかし、問題を実際に解いている場で、二本の平行線という条件から補助線を引いて特殊な角の関係を発想するためにはある程度の訓練が必要になります。

前記の例の英語についても同じことが言えます。英語は基本的に一文に1つの動詞のみ置かれることを許されますが、時たま「一文中に2つ以上の動詞が置かれている」ように見える文章が出題される場合があります。このような時に「なぜ一文中に動詞が2つあるのだろうか」という問いから、文法事項として習った「仮定法Ｉｆ文の倒置」などへ辿り着くことができるようになることこそが、ここで言うところの「発想力」となります。

僕がこの発想力の大切さを痛感させられたのは東京大学の数学の問題に出合ってからでした。東京大学の数学の問題には、その単元について深く理解していればうまく発想を転換できて解けるようになるが、頭でっかちな公式暗記だけでは一生解けないというような良問が数多く含まれています。

しかし、僕には初見でそのような問題を解くだけの能力は元々ありませんでした。ですから、このような問題を解いていくうえで生じたのが、「この問題を解ける人間」を仮定したうえで、彼らは問題文やその図のどの部分をヒントとして正解に繋がる要素を見つけ出しているのだろうかという方法でした。

そもそも、これはどんな勉強をする時にも言えますが、**勉強というものは今目の前にある問題を解いただけでは終わりません。なぜ勉強をするのかと言われれば、それは試験の場で高得点を取れるようにするためという人が多いはずです。ですから、極端なことを言えば、昨日や今日に何時間勉強していようが、明日の試験で結果が出せないのであれば、その勉強の意味がなくなってしまいます。**

問題を解くべきなのは、今ではなく、試験中なのです。そして、今解けなかった問題が試験会場でいきなり解けるようになるなんて奇跡を期待してはいけません。ですから、やるべきは「**今解けない問題を明日自力で確実に解けるようにすること**」と言えます。そのためには、今解けなかった問題とその類題について、どこが分かれば解けるようになるのかが分からなければいけません。問題の要点を押さえる事が必要になります。

勉強ができる人の「発想」の道筋を学ぶ

問題の要点を押さえるには、やはり解答を見ながら思考するのが一番てっとり早い手段です。しかし、これをあまりよく理解せずに、丸付けをサササッと終わらせてしまう人が大変たくさんいます。

僕が塾講師をしている際によく見かけたのは「解けなかった問題をあまり深く考えずに解答を写して終わらせる」という人達です。しかし、僕が思うに、問題を解く際の思考時間で一番時間をかけるべきなのは「解けなかった問題の解答を確認した時」です。

なぜなら、解けなかった問題にこそ、自分の成長する余地が眠っているからです。問題を解いている最中でも復習している最中でもなく、この問題の解答を初めて確認した時こそが一番効率よく頭を良くしながら思考できるのです。

もしもこれが知識の不足によるものならば知識を補充するだけで事足ります。そして、これが発想力の不足、つまり知識はあったのにその解法が思い浮かばなかったということだったのであれば、考え方を学ばなくてはいけません。ですから、ここで**「どうしたら自分はこの発想ができたのだろうか」とか「どう考えていけばこういう発想ができるようになるのだろうか」といったように考えていくことを要求されるわけです。**

どんな問題でも、出題されている以上は必ず明確な答えがあります。実際のテストで、全員0点で終わるなんて話は聞いたことがありません。ほとんどの問題の難易度は受験者が解ける範囲で設定されています。ですから、受験者の中には問題が解けなかった人がいれば、必ず解けた人もいるということです。両者の違いは、「発想力の有無」です。

問題を解く際には知識ではなく、発想が左右することも多々あります。ただし、これは先天的な閃《ひらめ》きの才能では決まりません。どんな発想でも、ある程度の型のようなものがあり、そこから発展させることができるのです。

そういう意味では、この発想ができないという悩みもまた知識不足に置き換えられるかもしれません。ですから、**問題が解けなかった場合には、自分の才能のなさに不満を抱くのではなく、「どうして勉強ができる人達はこういった発想ができるのだろうか」という**

ところから、その発想に至るまでの道筋を学ぶべきなのです。

この道筋の学習こそが勉強の本質であり、ただの写経には何の意味もありません。ですから、もしも分からない問題に出合ってしまった時には、解答を見ながら腰を据えてじっくり考えると良いでしょう。この考える時間こそが頭を良くするための一番のチャンスとなるのですから。

その5：物事に優先度をつける

僕はゲームが大好きなのですが、みなさんはゲームを日常的にプレイするでしょうか。僕はスーパーファミコンの時代からずっとゲームをやり続けているのですが、最近は昔のＲＰＧに見られたようなマップ切り替え方式のゲームではなく、「オープンワールド」と呼ばれるタイプのものが主流になっています。

これは、常にマップ全体がロードされているため、エリアの切り替え自体が不要になっており、また戦闘に突入する時などにもロードを挟まずシームレスに遊ぶことができるというゲームです。

昔ながらのゲームではゲーム機自体の性能が足りなかったためか、このようなゲームは見たことがありませんが、今のゲーム機の性能であれば十分に扱えるようになりました。

今の主流はこのオープンワールド型のゲームとなっているのですが、このタイプのゲームには大きな特徴があります。それは、自由度が昔のゲームよりも高くなっていることです。世界観がより深く掘り下げられていると言ってもいいのかもしれません。

例えば、「ドラゴンクエスト」や「ファイナルファンタジー」に代表される昔ながらのRPGでは、基本的にストーリーは一本道で、寄り道要素はほとんどありませんでした。ですから、ゲーム内のキャラクターのロールプレイングを行ったとしても、その世界の暮らしを満喫すると言うよりも、主人公の戦いの記録をなぞっていくという性格のほうが強く、どちらかといえば、「遊べる小説」という感覚で作られていたように思います。

勉強も仕事も単純な「タスクの集合体」でしかない

しかし、現代のゲームでは本筋のストーリーはもちろんのこと、そのストーリーに関わらないイベントにも力を入れて作成されるようになりました。これは恐らくゲームのグラフィック向上に伴って、ゲーム内の世界がよりリアリティを持つようになったので、その世界の人々の暮らしを描く必要が出てきたからだと思います。

ですから、最近のゲームはとにかくボリュームに富んでいるものが多い印象があります。本筋をクリアするだけでも数十時間かかるというのはザラで、それに加えて本筋に関わらない寄り道要素が無数に存在していますから、ゲーム全体を遊びつくそうと思ったならば、百時間程度は余裕で過ぎ去ってしまいます。この寄り道要素がゲーム全体に共通する世界観に深みを与えているので、次世代のゲーム体験ではこのような形式のゲームが常識になるのではないかと僕は考えています。

ただし、様々な進め方があるお陰で、メインストーリーが分からなくなってしまうようなケースも出てきました。当然ゲームは本筋となるストーリーを進めてなんぼの部分がありますし、多くの寄り道要素もこの本流を支えるためのものなのですから、ごっちゃになってしまっては本末転倒です。

ですから、最近のゲームでは、メインストーリーに関しては優先的に表示されるようになるなどの工夫がなされるようになってきました。主人公たちにとって「今やらなければならないこと」をメインストーリーとしたうえで、「いつやってもいい頼まれごと」をサブストーリーとして展開していくことで、ゲーム全体のテンポ感を損なわせないようにしたのです。

このようにして、**並行した物事に優先度をつけるということは、タスク処理の観点から見て非常に大事な意味を持ちます。勉強や仕事というとなんだか大変なことのように思えてしまいます。しかし、これらも蓋《ふた》を開けてみれば単純なタスクの集合でしかありません。**これらのタスクにはそれぞれ重要度が達成されていますから、これをしっかりと見極めながら消化していくことが、一番効率の良い仕事の方法であるということができます。

物事の優先度――「状況的な面」と「必要度的な面」

ここからは「時間の価値を意識しながら行動する」ことについて考えていきます。第２章の冒頭で少し話したように、物事には必ず優先度というものがあります。この優先度を意識しながら物事を行わないと、重大な学習のための機会を損失してしまうかもしれません。ですから、**何かを実行する前には、必ず「それは本当に今しかできないことなのか」「今本当に行うべきは何なのか」ということをよく考えてから行う**ようにしましょう。

この物事の優先度について、2つの面から話していこうと思います。1つは、**「状況的な面」**から、もう1つは**「必要度的な面」**からです。

状況的な面での優先度というのは、「限定的な状況でしか出来ないことを優先して考える」ということです。物事行うためには、見えないハードルとも言うべき前提条件があることがほとんどです。そして、物事によってはある状況でしかできないという性格を持ったものもあります。これから2つの状況を考えて、それぞれの特徴を比べていきながら考えてみましょう。

例えば、あなたが今勉強机の前に座っているとします。これから腰を据えて5時間ほど勉強に取り組むつもりで、勉強を除けばもうこれといった予定はありません。また、こういう状況も想定しましょう。あなたは今満員電車に乗っています。運良く座れたのですが、自分が降りる駅までは10駅ほど、時間にして30分ほど暇になってしまいました。

さて、このような時に同じ受験生だとしても取るべき行動が違ってくるということはお分かりでしょうか。

例えば、前者の場合。勉強机に向かっているという、勉強をするならばおよそ理想的な環境にいるうえに、時間もたっぷり確保できています。対して後者の場合には、満員電車の座席にかけているということですから、確保できるスペースは狭いですし、時間も比較的短いでしょう。こうなった時、例えば英語長文の勉強や数学の勉強など、勉強するために比較的スペースや時間をとらなければいけないような勉強は後者の環境では行なえません。教科書を出して読むのが精一杯でしょう。

対して、英単語や古典単語の暗記や、ノートを見返すだけの復習などのような勉強であればどうでしょうか。このような勉強なら、落ち着いて本を読むことができるだけの空間が確保されていれば、どんな時でも勉強に移ることが出来ます。

「インプット式」の勉強と「アウトプット式」の勉強

勉強には「**インプット**」と「**アウトプット**」という段階があります。インプットというのは単語の暗記に代表されるような、知識を頭に入れるための勉強で、アウトプットというのは、学んだことを定着させるために問題を解くなどして知識を確かめるための勉強です。

インプットとアウトプットはどちらも重要な要素で、どちらが優れているとかどちらが重要だというようなことを言うつもりはないのですが、この2つの勉強法は勉強中に掛かる負荷という面では全く異なっています。

インプット式の勉強は知識を頭にいれることがメインです。なので、基本的には本を読んだり動画を見たりすることが勉強方法のメインとなります。一方**アウトプット式の勉強については教科書、または参考書を開いて読むだけではなく、そこから自分の学んだことをノートに書きつけるなどすることが必要**となります。さらにこの場合、当然ですが、問題を解くために一層考えることが要求されるため、比較的長いスパンでの勉強を要求されます。

先程出した2つの状況になぞらえて言うのであれば、前者の状況はインプット、アウトプット共に行えるような状況にあります。しかし、後者の状況はおよそアウトプットを行うには向いていません。

このように、アウトプット式の勉強というものは行える時間、場所が比較的限られてしまうものなのです。**物事について優先度をつけようというのは、「今しかできない勉強」と「いつでもできる勉強」の区別をつけよう**ということです。

僕が以前に勤めていた塾では、せっかく塾の自習室に来ているというのに多くの子が英単語の暗記だとか、社会科の用語の暗記のような、本さえあればいつでもできるような勉強に時間を割き、英語精読や数学の問題の時間を結果的に削ってしまうような人が数多くいました。

このような勉強法では、大変もったいない時間の使い方をしています。理想としては、「なんでもできる時間」に「いつもはできないこと」を行って、「なんでもはできない時間」に「いつもできること」を行うべきなのです。

時間の感覚を磨くだけではなく、１つ１つの物事がどれほど時間を要求するのか、空間を要求するのかなどを理解しなければ効率のいい勉強はできません。常に行うべき物事の性格を考えるようにしましょう。

「低次のレベル」から徐々に攻略していく

そして、２つ目の必要度的な面というのは、**「物事の間にある関係性を見抜こう」**ということから始まります。例えば、英語の文章がスラスラと読めるようになるまでにはいくつかのステップがありますが、これらはいくつかのレベルに分けることができるでしょう。

これは第1章の参考書紹介のところでも述べましたが、英語学習におけるレベル1は「アルファベットや単語を知ること」です。レベル2は「文法を暗記し、ある程度理解することができる」というもので、レベル3は「文法事項に則って英文をゆっくり理解することができる」となり、レベル4が「英語の文章をある程度の速さで理解することができる」となります。

この時、**「高次のレベル」の内容に取り組むためには、「低次のレベル」の内容をある程度修めている必要がある**ということが言えます。つまり、単語が分からなかったりアルファベットが読めなかったりするならば、単語の置き方法則である英文法を学んでも意味がなくなってしまうし、英文法が分かっていなければ、ルールに則った英単語の集合体である英語の文章を理解することは出来ません。そして、一つ一つの文章を確実に理解できないような状況で速読しても、何も得られるものはありません。

こうなった時、あなたがやるべきことは「低次のレベル」から徐々に攻略していくことであって、「高次のレベル」に取り掛かることではありません。これもまたあまり勉強が得意でない子に多く見られる特徴ですが、勉強をすると言った時に、その難易度差がよく分かっていないのか、レベル間の違いを無視して勉強する人がいます。しかし、これは無駄に時間を食うだけで、全く身にならない無駄の極みとも言える勉強法です。

よく「最初は結果が出ないけれども、コツコツ積み上げていくと力になる」と言われますが、それはレベル１からレベル３までは上達しても結果として表れにくいからです。なぜなら、試験会場で問われる問題は、ほとんどがレベル３以上の内容を問うてくるからです。

時間を効率良く使うためには、勉強の順序を見抜いた上で、今本当にやるべきことを適切に行わなければいけません。**英文法の知識がないのに英語長文をやろうとしても身に着くものは何１つありませんし、逆に、英単語や英文法について深い理解をしているレベルなのに、さらに英単語や英文法についての勉強をしても、得られるものは少なくなります。**

その時の自分のレベルをしっかりと把握したうえで、次のステップに進むために自分に必要なものは何かを考えながら勉強することが成長に繋がります。ですから、常に時間効率を考えながら物事に取り組むようにしましょう。

【第3章のまとめ】

この章では第2章の節約メソッドを使って確保できた時間を使って、効率よく勉強をしていくための方法を学んできました。確かに第2章までで多くの時間を確保できるようにはなりましたが、「時間がある」ということはあくまで必要な条件に過ぎません。短期間である程度の結果を出したいのであれば、しっかりと時間を確保したうえで、効率の良い勉強法を行っていく必要があります。

第3章の［その1］では、「理解力＝読解力」を向上させるということで、読解力とはなんなのかということについて考えましたね。そもそも勉強は基本的に本を読んで勉強することが大部分になりますから、どうしても読解力がなければ勉強効率は落ちてしまいます。なので、まず根本的な読解の力をつけるところから始めていきます。

この読解力は、要約力であると説明したように、要約を行っていくうちに自然とついてくるものです。これは思考を言語化する時などにも役立つ能力なので、ぜひ優先的に磨いていってほしいと思います。

［その2］では「分からない」を具体化する方法について考えました。第2章の［その

2」でも触れたように、分からないことについていつまでも考え続けるのは時間の無駄といってもいいと思います。ですから、思考している最中に行うべきは「自分は一体何が原因で分かっていないのか」ということの究明です。

考える対象が知識の不足によるものなのであれば、それは調べるべきですし、それが発想の不足によるものなのだとしたら、少し腰を据えて考え込んでみても良いでしょう。

このようにして、考えるにしても、何について悩むべきなのか、何について考えるべきなのか、自分は一体何が分かっていて、何が分かっていないのかについて自覚的でなければ効率的な思考はできません。ですから、考え込む前に自分の「分からない」を具体化してみようというような内容でしたね。

「その3」では、思考を言語化するためのステップを学びました。どんな人でも、集中が乱れた時にはなかなか考えることは出来ないと思います。一旦途切れた思考は、再度繋ぎ直すために大変な手間がかかりますが、その手間を省くため、そして思考を高速回転させるために誰でもできることが「思考のアウトプット」でした。

すなわち、脳の容量が足りなくなってしまうのならば、端《はな》から外部に出力すればよいのです。思考というものは、頭の中に存在している限りはなかなか明瞭に見えてきませんが、口に出したりペンで書いたりすることによって纏《まと》まることも多々あります。いつまでも頭の中で悩んでいるのであれば、多少の時間のロスは覚悟してでもアウトプットすることによって、思考の整理と脳容量の節約を行ったほうが効率的には良いということです。

［その4］では具体的に考える際の方法について考えました。たとえ自分に解けない問題であったとしても、入試問題である以上は、この地球上の少なくとも誰かには解ける問題であるわけです。そうなった時に、自分とその人間の差を考えて、その人間がどのようにして思考を広げたのかということを考えることによって、自分にはない発想や疑問の付け方を習得することが出来ます。

結局ある問題が「解けない人間」も「解ける人間」も同じ人間なわけで、そこには大なり小なり違いはあれども、本質的には変わりません。みんながみんな「世界一」になることはできませんが、受験勉強のレベルで求められているのは「世界一」でも「日本一」でもなく、せいぜい高く見積もったとしても「町内一」くらいですから、その程度のレベルなのであれば、努力でも十分辿り着ける次元にあります。

ですから、「解けない人間」と「解ける人間」との間にあるのは、努力で埋められるだけの差でしかないのではないでしょうか。こう考えた時、考え方のトレースを行うことによって、徐々にその人の実力を自分のものとしてコピーすることも出来ます。このようにして、少しずつ発想の幅を広げていくことが、新たな問題が解けるようになることにも繋がるのです。

［その5］では物事の優先度について考えました。少ない手間と時間で手軽に取り組めるような物事を、あえてなんでもできるような時間に組み込むのは大変効率が悪いですよね。それならば、ある程度自由が利かない、例えば問題集を使った勉強のようなものを優先的に取り組んで、単語の暗記のようないつでもできることに関しては、後回しにするというほうが効率は良さそうです。

さらに、物事は基礎から積み上げていってこそ、上のレベルの物事の理解ができるようになるので、例えば英語で言うところの英単語や英文法が終わっていないのに、長文読解の勉強を始めても得るものが全く無いため、損をするばかりなのです。ですから、基礎的な事項というのは応用発展の内容に繋げるためにも大変優先度の高い内容なのだ、という話でした。

このようにして、勉強方法1つとっても効率化の余地はたくさんあります。せっかく第2章の方法を使って効率化を突き詰めてきたのですから、その時間を使ってしっかり勉強できるように、効率の良い方法で学習していきましょう！

第4章 「思考を最適化」する2つの方針

「常識」とは何か

突然ですが、みなさんは「常識」とはなんなのか説明できるでしょうか？　なんとはなしに意味を説明することはできるかもしれませんが、その時代の常識を全て列挙するのは難しいでしょう。そもそも数が膨大すぎますし、常識というものはその世の中によって大きく変わっていくこともあるからです。

常識が移り変わってしまった例としては、昔と今ではカレンダーが異なっていることなどが挙げられます。昔の日本では太陰太陽暦というカレンダーを使っていました。この太陰太陽暦というカレンダーは「太陰暦」というカレンダーの改良版です。

太陰暦は月の満ち欠けを基準としていたのですが、月の満ち欠けは30日よりも少しだけ短いため、周期がだんだんズレていくという問題がありました。なので、数年に一度だけズレを修正するために「閏月《うるうづき》」が挿入されるというのが太陰太陽暦の特徴でした。

それが、明治維新の最中に改革の一環として暦を太陽暦に変更しました。この太陽暦という暦は地球の公転を基準としたもので、今使われているカレンダーもグレゴリオ暦という太陽暦の一種です。

地球の形状についても同じような常識の変化がありました。元々西洋式の地球観では「地球はお盆のような平面になっている」というものでした。これが強く信じられていたため、世界の果てに行くと、海が流れ落ちていく滝に巻き込まれて死んでしまうという迷信さえもが常識としてまかり通っていました。

それが中世末期になってトスカネリという人が「地球球体説」を唱えます。アメリカを「発見」したコロンブスは、このトスカネリの説を信じて西の果てを目指したと言われているのですが、とにかく、トスカネリやそれ以降の様々な学者たちの手によって「地球が球体である」という説が唱えられ、また実際にマゼランやその仲間たちが地球一周の船旅を成功させたことによって「世界は球体である」という事実が常識となっていくのでした。

私たちが常識だと思っていることは、１００年先の人々には笑われてしまうような「非常識」かもしれませんね。

常識が変わってしまった例はもっと身近なところにもあります。例えば、「お客さん！武器や防具は装備しないと意味がないよ！」なんてセリフはＲＰＧではおなじみです。今となっては多くの人々がゲームに慣れ親しんでいますから、「そんなこと言われなくても知っているよ」と思いがちですが、ゲームというものがこの世に出たばかりの頃は、そういった「常識」も「非常識」でした。

それでは、これは常識でしょうか?　**「お客さん!　勉強しただけでは結果はついてこないよ!」**。

「合格に足る能力を持っている」と「合格できる」は全く別の問題

これまで僕は「どのようにして勉強をするべきか」という方法論を語ってきました。これは、試験の準備のための方法論ということもできます。つまり、どのようにして効率的に参考書を選び、そしてその本を完璧にやり抜くためにはどうすればよいのかということについて述べてきました。

ここまで見てきた方法をしっかりと意識しながら参考書を使っていけば、どんな参考書でも完璧に仕上げることができると思います。しかし、勉強するうえで必ずついてまわるテストというものは、勉強ができるから絶対に良い成績が取れるというものでもありません。また、同じくして、必ずしも「勉強ができないから良い成績は取れない」というものでもありません。

これは毎年、大学受験の場で、**合格確実と目されるA判定が出ていたのに不合格になってしまう学生が出たり、逆に合格は難しいとされるE判定が出ていたのに逆転合格を勝ち取る学生が出たりする現象**に見ることが出来ます。別にA判定の出ていた学生がサボっていたというわけではないでしょう。それではなぜこのような逆転劇が毎年多くの受験会場で起きてしまうのでしょうか。

これは、その受験者がひとえに**「本番に強いタイプ」だったか「本番に弱いタイプ」だったかという違いにある**と僕は考えています。合格確実とされていながら落ちてしまうような人は、確かに合格するに足る能力を備えていらっしゃるのだと思います。しかし、**「合格に足る能力を持っている」ことと「合格できる」ことは全く別の問題です。**合格するには、自分の能力を本試験の場で１００％発揮する必要があるからです。

どれだけ素晴らしい能力を秘めていようと、本試験の場でそれが発揮できないのであれば、試験に合格することは出来ません。試験対策として勉強をするのであれば、同時並行で「いかに試験の場で普段通りの実力を発揮するか」を考えることも必要になってきます。

しかし、残念ながらこれについてのアドバイスを纏《まと》めた本はそう多くはありません。「本番に強くなる方法」は存在していると言うのにです。

僕はこの本を「勉強するため」の本ではなく「試験に合格するため」の本であると位置づけています。なので、そうである以上は試験への準備たる勉強面だけではなく、試験場での戦い方までを紹介するべきであると考えています。

これから紹介していく方法は全て試験本番で本当の実力を発揮するための方法となりますので、普段の勉強の場面ではあまり役に立つことはないと思います。その代わり、模試や過去問を解くとなった時には大変重要な内容となっているので、勉強してきたことを無駄にしないためにも、必ず読んで方法を習得するようにしてください。

プロでさえ緊張を解きほぐすための普遍的な術は持たない

これまで何度か申し上げたように、僕は元々、高校時代は吹奏楽部に所属しており、チューバという楽器を吹いていました。僕の通っていた学校は中高一貫校で、吹奏楽部は中高合同の学校だったので、6年近く部活にはお世話になったのですが、現役時代は学校生活のほとんど全てを楽器の練習に費やしていました。僕は何かにハマってしまうととにかく全てを捧げて練習に打ち込んでしまうのですが、楽器の演奏は本気で人生をかけようかと思うほどにのめりこんでいました。

そんな僕が通っていた学校ですが、当時はそこまで強い学校ではなく、コンクールでもたまに金賞、大体金よりの銀賞という結果に終わる程度の学校でした。しかし、指導者層は非常に厚かったのが特徴でした。というのも、どうやら母校の理事長先生がさる著名な指揮者の先生と懇意にされているようで、そのよしみで、僕が入っていた吹奏楽部の面倒を見てくださっていたのです。

東京佼成ウインドオーケストラやシエナ・ウインド・オーケストラのような超一流楽団の指揮者を務められたこともある先生でしたので、大変貴重な機会をいただいていたことを今でも誇りに思います。全体指導以外にも各楽器の指導をプロの先生にお願いすることもあったのですが、そのような一流の先生からご紹介いただけたので、指導にいらっしゃる各楽器の専門家の先生方もまた、一流の演奏家ばかりでした。

ある日、トランペットの指導をされていた先生に本番で緊張しないための術《すべ》を尋ねたことがありました。この時、僕がリーダーとなってアンサンブルの練習をしていたのですが、その曲の指導をしてくださったのが、そのトランペット奏者の先生だったからでした。当然ですが、プロの楽器の奏者となれば、常に本番と隣り合わせの生活を抱えます。そもそもが人前で発表してなんぼの世界ですから、緊張しないためのコツを持っていらっしゃるのかと思ったのです。

先生は「何も参考にならないと思うけど」という前置きの後に、「**自分はステージに入場する時に、必ず左足から入るようにしているのだ**」とおっしゃいました。もちろん、ステージに左足で入ろうが右足で入ろうが、演奏の出来に対して直接的な効果を及ぼすはずもありません。ただ、それが先生の中でジンクスになっているからそうしているのだということでした。

この体験は、僕に2つの大きな知見をもたらしました。1つは「プロでさえも緊張を解きほぐすための普遍的な術は持たないのだ」ということ、もう1つは「ほんの些細《ささい》なことだとしても、それが自分の安心になるのであれば、それはお守りとして機能するのだ」ということです。

これ以降、僕は本番のステージに乗る前や試験に望む前には必ず一人で目を閉じて深呼吸をするようにしました。なんとなくですが、集中が深まるような気がしたからです。

「本番に弱い」人の特効薬

勉強をする人は、大体の場合、本番試験を控えているものだと思います。例えばそれは、学校の期末試験だったり、高校や大学の入試だったり、資格試験だったりします。勉強が趣味という人でもなければ、こういった目標が先に立ってから、その目標を達成するための手段として勉強を始めるわけです。そうなると、せっかく勉強をしたのですから、試験には合格したいし良い点を取りたいという人がほとんどだと思います。それでも試験会場で実力通りの結果を出すことが出来ずに落ちてしまったという経験がある人も多いのではないでしょうか。実力通りの結果が出せないという人の相談にもこれまで多く乗ってきましたが、その中でも多かったのが「本番に弱い」という人です。

試験を受けるという文脈での「本番に弱い」ということは、つまり試験中は集中して思考することが出来ていないということになります。普段の自習通りの思考ができれば難なく解けるような問題でも見送ってしまうから、実力通りの結果が出せずに落ちてしまうわけです。ですから、これに対する特効薬は１つです。すなわち「試験中も集中できるようなテクニックを身につけること」です。

勉強したのに落ちてしまうような人で多いのが、勉強しっぱなしでテスト本番の状況には何の対策も講じずに挑むという人です。残念ながら、これでは落ちてしまっても仕方がありません。テスト会場という非日常の空間にのこのこ出向いていったら緊張するに決まっています。そして緊張したらいつもの実力が発揮できなくなるというのもまた自然でしょう。最悪の場合、一回の思考停止のせいで問題が全く解けなくなったように錯覚してパニックに陥るという悪循環に入ってしまうかもしれません。

ですから、**テスト会場でもいつも通りリラックスできるような、もしくは一旦パニックになってしまってもすぐに冷静な自分に復帰できるような仕組みというものが勉強の総仕上げとして不可欠**なわけです。

それでは、どのようにして緊張しないための術を身につければよいのでしょうか。まず、大前提として焦らないほうが良いに決まっています。ですから、第1に考えられるのは**「焦りを防止する策」**です。

とはいえ、慣れない環境に一発勝負という状況も相まって、焦ってしまうのは半ば避けられないと言えますので、**「どのようにして冷静に思考を回していくか」**についても考えていきたいと思います。これらの焦らないための作戦をうまく活用することができれば、試験会場と言えども、いつも以上の集中を得ることが可能になるでしょう。

ここまでの勉強法を用いて勉強してきた方ならきっと普段通りの実力を発揮すれば合格も夢ではないと思いますから、ぜひここで当日うまくいくための作戦を学んでください。

焦りを防止する２つの作戦

［その１　ルーティンを作る］

まず、「焦りを防止する作戦」から考えていきましょう。試験当日の朝、この日のために勉強してきたあなたは、恐らく大変緊張していると思います。これはきっと試験会場に近づくにつれて高まってくるでしょう。試験本番のプレッシャーは、その当日の朝、起きた瞬間から始まっているのです。


この緊張を解きほぐさないうちに試験が開始してしまうと、もうダメです。緊張が焦りを呼び、焦りがパニックを呼び、試験問題を解くどころの話ではなくなってしまいます。

本番に弱い人が本番にある程度強くなるためには、まず試験が始まる前の段階から対策をしなければいけません。

ですから、第1の作戦は、なんと試験が始まる前からすでに開始しています。**「焦りを防止する作戦」の第1番は「ルーティンを作る」**というものです。ルーティンとは、「決まりきった動作」というような意味の英語が元になった言葉です。

最近日本でもルーティンという概念が浸透してきました。有名なものとしては、ラグビーの五郎丸《ごろうまる》選手がキック前に行っていた、拝むような動作や、野球のイチロー選手がバッターボックスに立つ前に行っていた、バットを大きく回す所から入る一連の動作などが挙げられます。

例えば五郎丸選手のルーティンは一時期大変流行ったことがありましたが、これらルーティンは、別に格好つけるためだったり、キャラ付けのためだったりにしているわけではありません。ルーティンにはキャラ付け以上の大変重要な意味があります。実は、この「ルーティン」という動作には、集中力を上げるための効果があるのです。

一見意味の無い行動のように見えるルーティンですが、これは誤りです。ルーティン、つまり「決まりきっている、いつもの通りの動作」を行うことにより、「いつも通りの自分」に自分の精神状態を持っていくために非常に大きな役割を担っているのです。

そもそも試験会場で焦ったりパニックになってしまったりするのは、それが非日常であるからです。いつもの自分の部屋や、よく使う自習室などで勉強する時とは違い、試験本番は大抵の人が慣れない環境に放り出されて試験を受ける羽目になります。「いつも通り」ということは、精神を安定させるために思っている以上に重要な役割を担っています。

これは逆に言えば、「いつもと違う部屋、時間、状況」で勉強を行うということは、特に「本番に弱い」という人にとっては大きなストレスの原因となりえます。つまり、例え環境１つとったとしても、これが普段と異なることは集中力を大きく乱してしまう一因となるわけです。しかしこれは、逆に言うのであれば「いつも通り」の状態に自分の精神状態を持っていくことができれば、焦りにくくなるということでもあります。

では、**どのようにして「試験会場」というイレギュラーな環境で「いつも通りの自分」を引き出すのか。**ここでルーティンが役に立ちます。「ルーティンを行ってから勉強を始める」という癖をつけると「**一連の動作から勉強を開始**」という流れが体に染み込みます。つまり、**ルーティンがいつも通りの自分を目覚めさせる役割を持ったスイッチ**となり、試験会場でもいつも通りの自分に持っていきやすくなるわけです。

目を閉じて3~5回大きく深呼吸する

実際、この項目の初めでも言及したように、五郎丸選手やイチロー選手など多くのトップアスリートもルーティンを集中のための所作として取り入れています。僕も勉強の前には必ず意識的に行うようにしていました。

僕の場合には、**勉強を始める前に机の上に腕を置き、目を閉じて3回から5回ほど大きく深呼吸を行うというものでした。元々は暑い教室で集中するために深呼吸して暑さを忘れようとしたのが始まりだったのですが、段々と無意識のうちに集中するための手段として行うようになっていきました。**

もちろん、この動作を行う時間は勉強の結果に対して直接的に関与することはありません。また、僕の場合は毎回30秒以内に完了したとは言え、これが積み重なったら勉強に費やすことが出来たはずの時間を大量に無駄にしてしまうことになります。

しかし、このルーティンの時間をカットするという発想は僕の中にはありませんでした。なぜならば、このルーティンという一連の動作は「普段からやっている」からこそ効果が出ますから、試験直前に急拵《きゅうごしら》えで集中のための動作を作っても効き目はないでしょう。さらに、このルーティンを集中のスイッチとすることによって、普段の自習時間中でも休憩時間と勉強時間の境目を明確に区切ることが出来ます。

このように、**短期的に見たらルーティンの開発は無駄となりますが、長期的な目線で見れば費やした時間にお釣りが出るほど効果が出てくる**ものだったと僕は考えています。今の時間を未来に投資して、より多くのリターンを得るためにあえて無駄な動作を行っていたということです。

ルーティン自体は試験前や試験中に行えるものであればどのようなものでも構わないと思います。重要なのはいつも続けることですから、試験本番を見据えるのであれば、早い時期から何か１つルーティンを設定して続けてみるのも良いかもしれません。

【その２　全体を見回す】

２つ目の「焦りを防止する方法」は、試験開始直後に行うテクニックです。ついに迎えた試験本番、ずっと抱えていた不安や緊張、慣れない環境と多くの見知らぬ人から受ける多大なストレスはルーティンを行うことによって無視することが出来ました。さて、あとは問題を解いていくだけです！

こうなった時に、多くの試験慣れしていない人は問題冊子が配られたら頭から順番に解いていくと思います。**しかし、ここに本番に弱くなってしまう人特有の重大な罠が潜んでいます。それは言うなれば「玄関先での死亡事故」です。**

ほとんどのテストでは、いくつかの大問に分かれていて、さらにその大問の中でも小問に分かれているというような入れ子構造をとっています。この時、重要なのは大問ごとに差があれども、解けた時にはある程度の点数が保証されているということです。

往々にして試験の合否はどの問題を解くことができたかではなく、どれだけ点数を取ることができたかで判定されます。例外として、医師国家試験などは「絶対に間違えてはいけない問題」が数問紛《まぎ》れており、これらのいくつかを不正解してしまった場合には、どれだけ総合の点数が良くとも不合格となってしまうそうです。

しかし、これはごく一部のテストに言える話であって、大抵のテストでは先程も言った通り得点が鍵となります。

さて、**今あなたの目の前に2つの問題があるとします。「難しくて解けるかどうか分からないけれど、解ければ30点の問題」と「解き方は分かるけれども20点の問題」があった時に、あなたはどちらから解くべきでしょうか。これは間違いなく後者の簡単な問題から**

解くべきです。前者の難しい方の問題は、そもそも解けるのかが分からないうえに、大変に時間がかかることが予想されるからです。

試験の場ではどれだけ難しい問題をどれだけ美しく解こうとも、もらえる点数は同じです。ですから、とにかく効率よく点数をかき集めていく姿勢が重要になります。こういう視点からテストを見ていくと、「どれだけ効率よく点数を得点することができるのか」すなわち「どれだけ簡単な問題を見つけられて、難問を避けられるか」という勝負に変化しますね。

試験中に効率良く得点するためにも、また一度落ち着いて頭を冷やすためにも、広い視野を持って問題冊子全体を見渡すというのは重要であると言えるわけです。

そして、難しい問題に取り組む時も、同じく広い視野を持ち、様々な問題にアプローチすることができるようにしましょう。試験に出てくる問題は、受験者の中でしっかりと差がつくように、比較的簡単な問題と比較的難しい問題とがある程度混ざるようにして出題されます。ですから、難しい問題を選《よ》り分けて簡単な問題だけを選んで解いていったのだとしても、いつかはどこかで難しい問題に行き当たってしまうと思います。

最終的な得点率を上げる「諦《あきら》めの戦法」

合格するためには難しい問題にも腰を据えて取り組まなければいけない瞬間というのは必ず訪れますが、とはいえ、意地を張って1つの問題に取り組もうとするのは大変危険な行為です。

解答が無く、時間制限がある試験会場という特殊な環境において、何よりも一番大事なのは時間です。今分からない問題に取り組み続けても解けないかもしれない、完答したと思ってもそれは間違っているかもしれない、そういった不確定な可能性に頭を悩ませられ続けてしまいます。

ですから、こういった場合には**いっそのこと一度諦めてしまいましょう。**選択肢式の問題でなければ、配点要素として必ず「部分点」というものが存在します。全部はできていなくても一部が正しければ、それだけで得点できる可能性が十分に存在しているわけです。**どのような順番で問題を解き進めても最終的には難しいと感じた問題に行き当たるわけですが、それならば、1つの分からない問題相手に時間を全て使うのではなく、全部の分からない問題を少しずつ相手にして、分かった部分までをそれぞれ解答用紙に記録していく**

戦法のほうが最終的な得点率は期待できます。

試験場で焦らないための方法をここまで２つ紹介しましたが、「いつもの通りの自分で、冷静に点数をかき集めていく」という態度を崩さなければ、どんな試験でも絶対に突破することが出来ます。試験会場で分からなくなってしまっても、それは仕方のないことだと割り切って、完璧な解答ではなく、最善の解答を作るようにしましょう。

ただし、そうは言っても難しい問題に対してあまりにも取り組まなさすぎてもいけません。先程「部分点」の話をしましたが、完答が狙えないほど難しい問題であったとしても正しい方針や考え方をしていることを示していけば、部分部分で点数を取ることができます。ですから、難しい問題に対しては完答ではなく、様々な方法で試行錯誤しながら正解へ繋がる道を探ることが期待されていると言えます。そのためには、冷静かつ正確な思考を行う必要が出てきます。ですので、ここから先は「試験会場でどのように冷静に思考を回すか」の方法について解説していきたいと思います。

試験中という極限環境において「まさか」は存在しない

僕の考える習慣づけ最大の敵は、ずばり「自分」です。多くの人はトレーニングを日課にしようなどと思い立っても、自分の中の怠惰な面にやられてしまい、三日坊主になってしまいます。勉強に関してもこれは言えることで、勉強を始めるまでのハードルが非常に高いという人も多いのではないでしょうか。

しかし、勉強とトレーニングとの間には1つだけ、大きな違いが存在しています。それは「眠気」です。走っている最中や重いものを持ち上げている最中などでは、よっぽど疲労していない限りは、眠くなることはないでしょう。しかし、勉強は身体を動かすような動作ではないので、体調や自分の気分などによってはすぐに飽《あ》きて眠くなってしまいます。

僕は本書の第2章で「無駄な時間」を定義して、それらを削るべきだと何度も言ってきましたが、体力回復が目的ではない睡眠は当然ながら「無駄な時間」に入ります。この睡魔の厄介なところは、ところかまわず襲ってくるということです。例えば、「試験の最中」でさえも。

勉強している時や試験を受けている最中に、眠くなったりどうにも集中できなくなったりしてしまう経験は誰でもあると思います。多くの人はこれに対して「頬をつねる」とか「事前にエナジードリンクを飲んでおく」などして対策をしますが、前者は何の気休めにもならないし、後者はあくまで睡魔防止策であって、根本的な解決策にはなっていません。

普段の勉強途中から集中できないタイミングが一定周期で訪れるような人なら、必ず試験本番でも集中が途切れたり眠くなったりするタイミングは訪れますし、普段の自分であればそうはならないような人でも、ふとしたはずみで集中が途切れてしまうかもしれません。

試験中という極限環境において「まさか」は存在せず、どんなことが起きてもそれは必然です。ありとあらゆる現象が起こる可能性があります。

例えば僕は普段は暑がりなほうで、身体も強いほうではありましたが、万が一の事態に備えて重ね着用のカーディガンやひざ掛け、さらに下痢止めや酔い止めなどの薬を試験会場に持参しました。これらを当日に使うことは恐らく無いだろうとは思っていましたし、むしろ自分自身を安心させるための保険の意味合いのほうが強かったのですが、試験会場ではどちらも使うことになりました。

僕が試験を受けた受験会場は東京大学駒場《こまば》キャンパスにある「900番講堂」という建

物だったのですが、なんとその会場に割り振られた受験者の中で、僕の受験番号が一番若かったので、僕は最前列の一番壁際で試験を受けることになっていたのです。900番講堂は数百人規模の集会に使えるかなり大きな会場でしたから、暖房の効きは最悪で、しかも壁際だったので外からの冷気がかなり伝わってきていました。

普段は暑がりといえども流石《さすが》にカーディガンやブランケットがなければ恐らく寒くて試験どころではありませんでしたし、実際にお腹を壊して下痢止めの薬を服用する羽目になったのです。まさに試験本番で起きた「まさか」という出来事なのでした。

僕はしっかりと対策をしていたので対処することが出来ましたが、もしこの対策をサボったとして、それが原因で集中できずに落ちたとなれば悔やんでも悔やみきれません。なので、万全の状態で試験に臨みたいのであれば、「まさか」という状況についてもある程度予測を立てて対策を講じておく必要があります。

試験中でも思考が纏《まと》まらなくなったら眠る!?

「試験中に集中が途切れて眠くなってしまうなんて、そんなまさか」と思われるでしょうが、これについても僕は実際に数学の時間中に集中が途切れて眠くなってしまいました。最早《もはや》、「自分だけは大丈夫」という安心こそが自分の首を絞めることに繋がるのです。ですから多少過剰なレベルだったとしても、あらゆる事態を想定しなければなりません。そして、ここで扱うのはその中でも「集中が途切れてしまった場合」に関してです。

前置きが長くなりましたが、**集中が途切れてしまった際の僕のオススメの解決方法は、「いっそ試験を忘れて寝てしまうこと」**です。

人間、眠い時はもう眠るしか対抗策はないと僕は考えています。以前、眠気が襲ってきた際に、それが覚めるまでどの程度時間がかかるのかを測ってみたことがあります。個人差はあると思いますが、僕の場合はだいたい10分から15分程度で、この間は眠気のせいで全く頭が働かず、問題を解くことも出来ませんでした。

なので、こうなってしまった時には「10分から15分ほど集中できないのなら、試験本番だとしても3分ほど寝ることで頭を再起動したほうが効率が良い」というように、逆に考えるようにしていました。

僕は東京大学の入試本番においても実際に眠気が襲ってきたので寝ましたし、今でも大学の試験中などで眠くなってしまった時は数分ほど眠るようにしています。もちろん本格

的に寝てしまわないように注意はしていましたが、かなりリフレッシュになりました。

眠ることのメリットは、一度頭の中身を空っぽにするので、それまで慌てていた脳内がスッキリすることです。一度焦ってしまうとそこから復帰するのは大変難しいのですが、あえて寝ることによって脳内の整理を行うことができます。

さらに、体力面でも回復することができます。特に高校や大学の入学試験などは朝早くから夕方、ものによっては夜まで行われますから、時間割後半の試験は疲労困憊して受験するということも多々あります。

疲れているともちろん頭も回らなくなってきますが、眠ることによって脳内の整理だけではなく体力の回復までもを行うことが出来ます。起きた後には多少ボーッとしてしまいますが、前述したルーティンを決めておけば、それを行うことによって即座に戦線に復帰することも出来ます。

もちろんこれは「必ず眠れ」と言っているわけではありません。人には個人差がありますから、一度眠ってしまうとなかなか起きられないという方には難しい方法だと思います。ここで述べているのはほんの一例で、実際には脳内をリセットすることができればどんな方法でも構いません。

例えば、軽くストレッチをしてみるだとか、目を閉じて深呼吸してみるだとか、どこか遠くを見つめてみると言ったような方法が挙げられると思います。一番重要なのは、試験から一度離れて短時間でリラックスすることですから、ご自分で一番自分に合っていると思うような動作を探してみてください。

問題と睨《にら》めっこするより、とにかく書いて整理する

先程の「どのようにして冷静に思考を回すか」という方法は、こんがらがった際に頭をリセットするための方法でした。これに対して、こちらは思考方法自体にフォーカスしていきます。

試験会場で分からなかった問題でも、家に帰って見返してみたらあっさり簡単に解けてしまったという経験を聞いたことがあると思います。少なからず多くの人が試験会場では目が曇ってしまうということの裏付けになるエピソードですが、これには恐らく理由があります。それは「いち早く答えを求めてしまう」ということです。

問題を解いて点数を獲得するのに一番手っ取り早い方法は、最初から正解ルートの思考

を辿って、答えに最短経路でアクセスすることです。これを全問で素早く行えば、試験時間なんていくらでも余ってしまいます。しかし、普通そんなにうまくことは運びませんし、試験時間も十分に余裕を持って設定されています。

これは逆に言えば**「多くの人は全問を軽々とは完答できない」という前提で試験時間が設定されているということですから、むしろ一発で正解ルートに辿り着けないほうが自然であるという想定の下で試験は運営されているのです。**それでも多くの人は効率を求めて「正解ルート」を探し求めてしまいます。自分の導き出した答えに確信が持てるまで動き出さないという人も多くいますが、これは一番やってはいけないことです。

まず前記したように、試験というものは一部の飛び抜けて優秀な受験者以外の多くが頭を捻《ひね》って考えることが前提の難易度で構成されています。ですから、簡単な問題でもなければ最初から正解に辿り着くことはほぼ不可能となっています。

そして、あなたが難なく解くことの出来た問題は、おそらく他の多くの受験者もそれほど苦労することはなく解いてしまうと考えたほうが良いでしょう。なので、結局合否を決めるのは「難しい問題で如何《いか》に試行錯誤することができるのか」ということになります。

結局どこまで面倒臭がらずに思考することができるのかということがターニングポイント

となるわけです。

ここで**一番やってはいけないことは「ペンを置いて問題と睨《にら》めっこ」**です。よく問題を唸りながら睨みつける人を見かけますが、残念ながらどれだけ熱い視線で見つめても問題は心を開いてくれません。この本の中で数回繰り返していますが、自分の思考というものは実は大変あやふやなものですから、難しい問題を難しいままで扱うのは、大変難しいことです。

効率よく思考を行うために必要なことは真逆です。むしろペンを持って、ひたすら現在分かっていることと分からないことを書き出し、整理していくことが正解への近道となるのです。

時には「損して得取れ」といった戦術が正解

みなさんは第2章の「その2」と第3章の「その2」で「分かる」ということは一体どういうことかについて考えてきたと思います。

「分かる」ためには、まず自分がその理解したい対象物のどこが分かっていて、どこが分かっていないのかについて整理されていなければなりません。この「分かる」を分ける作業によって、分からない点が浮き彫りになり、思考する対象が定まるというものでした。

これは試験中にも大変有効な考え方でして、目の前の問題のどこが分かっていて、どこが分からないのだろうかということから考えを深め、それらを列挙するだけで方針が立ちやすくなります。数学の場合、もしかしたらそれで分かった方針を書くだけで部分点を狙うことさえ可能です。

もちろん、ペンを置いて問題と睨めっこしていてもこの作業を行うことは出来ます。しかし、ただでさえ1分1秒が惜しくパニックに陥りやすい試験時間中に、わざわざ脳のメモリを圧迫するようなことをしても何の得にもなりません。**試験中は正解ルートを探るという作業に脳を集中させるために、多少の手間をかけてでも脳以外の場所に出力できる内容に関しては、そうしてしまったほうが脳への負担が軽くなり、結果として効率の良い正解ルートの模索に繋がる**のです。

このように、試験会場などの時間が限られている状況においては、多少の時間を犠牲にしたほうが目の前の問題を解くための近道になる場合があります。

ここまで多くの効率化の方法を書いてきましたが、これらは全て「試験に最短時間、最高効率で合格する」という目的のために行っていることです。大事なのは目的を達成することですから、時には「損して得取れ」といった戦術が正解になることもあるのです。

【第4章　まとめ】

本書では第3章までを通して、如何に効率よく勉強するかという方法を見てきました。しかしながら、試験に合格するためには、前準備たる勉強だけではなく、試験本番でどのように実力を発揮していくかということまで考えなくてはならないのでした。

第4章では「試験中に実践できる思考を最適化する2つの方針」と題して、試験への合格を目指して普段以上の実力を発揮するための思考法を考えてきました。本番で実力が発揮できるタイプ、できないタイプを想定した時に、後者はパニックに陥りやすいことが本番に弱い原因であると想定し、パニックに陥らないための方法、パニックに陥ってしまった時の復帰方法について考えました。

まず、焦らないための方法として、普段どおりの環境を作り出すという戦術がありました。これは「ルーティン」と呼ばれる一連の動作を普段から取り入れることによって、これを意識の切り替えスイッチとして、いつでも「普段通りの自分」を出せるようにしようというものでした。

2つ目の焦らないための方法としては、試験が始まった瞬間から解き始めずに、最初の3分程を使って問題用紙全体を見回そうというものでした。これは「第一問が難問だった際に時間を浪費することの防止」以外にも、簡単そうな問題から手を付ける癖を持つことによって、効率よく得点を重ねていくための方法でもありましたね。

入試テストと言うとどれだけ頭が良いかを競う競技のように聞こえてしまいますが、その本質はあくまで得点率にあります。とにかく効率よく得点を稼げるように立ち回ることによって、試験に合格する可能性を多少なりとも上げることができるのでした。

そして、焦ってしまった時の脳のリセットの方法についても紹介してきました。まず1つ目は「焦ってしまったら寝る」というものでした。まず、焦ってしまった時や集中力が途切れてしまった時、眠気が襲ってきた時などに、一瞬で頭を切り替えるのはかなり難しい技です。なので、多少の時間のロスは覚悟してでも根本から物事を断ち切ったほうが長期的に見るとプラスになるのではないかということでしたね。

もちろん無理に寝ようとしなくても、気分が切り替えられればなんでも良いと思います。重要なのは、一度試験から完全に離れて頭をリセットすることでした。

そして、２つ目の方法は「思考を整理するために、とにかく可能性を全て書きつける」というものでした。思考を言語化するというステップでもお話してきましたが、人間は意外と思考を自分では整理できていないものです。ですから、少しでも思考を明瞭にするために、とにかく可能性を片っ端から書き付けて、脳の負担を減らし、次のステップへの手がかりを探しやすくしようというものでした。

ここまで紹介してきた方法は、全て試験の本番の時に役立つ能力です。しかし、本質はあくまで普段の勉強のほうにあります。これらの方法を使って合格するということは、前提条件として普段から勉強を積み、十分な実力を蓄えているということがありますから、まずは日常的な勉強から、手を抜かずにコツコツと積み上げていきましょうね。

第5章　「もしも」で振り返り、未来に活かすメソッド

知識はミルフィーユのように積み重ねていくもの

さて、本書ではここまでで「勉強のための下準備」「勉強中の方法論」「勉強した内容を活かすための方法論」を述べてきました。とはいえ、**勉強は「やったから終わり！」というものではありません**。

例えば、社会人の方は学生時代を思い出してみてください。きたる定期テストのために、たくさん勉強をしたあなたは、それぞれの単元を「よし、これできっと大丈夫だ！」というところまで詰めて、意気揚々と床に入ります。

そして、運命の日。自信満々だったはずのあなたは、テスト用紙を前に固まるのです。**「あれ？　ここ、やったはずなのに思い出せない！」**と。確かに勉強したはずなのに、白紙じゃマズい、何か書かないと、でも何を？　いったい何が起きているんだろう、とパニックになるあなたを尻目に試験時間はどんどん経過していき……全国１００万人の学生の心の叫びが聞こえてくるようです。

ですが、これは勉強の方法が悪いわけではありません。先述したような勉強法を採用しようが、神に祈ろうが、「あること」をしなければほぼ確実に起きうることです。**その**

「あること」とは、ずばり「復習」です。人間の脳みそは忘れるようにできています。先ほどの例は多少大げさに書きましたが、それでも多くの人にとっては「勉強したはずなのに！」と嘆いた経験は一度や二度ではないはずです。確かに、高校生や大学生、ビジネスパーソンの方々がするような「勉強」は複雑かつ難解な内容で、しかも量だって特盛サイズというケースも少なくないかもしれません。

とはいえ、たかだか本の一冊や二冊を暗記するのにメモリ不足に陥るなんてこともないでしょう。脳みその容量について僕は詳しくありませんが、数か国語を操る人だってざらにいるのです。ギネス記録に登録されている人は50か国語以上の言葉を、読み書きまで含めて自在に操ることができるとか……。もはや神の領域なのではないかと思わせられます。

一つの言葉を話せるようになるには、数千の単語を覚え、複雑怪奇な文法ルールを把握し、発音法則まで完璧に網羅したうえで、一握りの勇気をもって〝Hi〟と呼びかけるまで、非常に長い道のりを辿《たど》らなくてはいけません。勇気云々《うんぬん》はともかくとして、ある言葉を話すことができるということは、その言葉に対する膨大かつ深遠な知識を持っており、それらを手足のように操ることができるということを意味しています。

そんな言葉を50とは言わずとも、3つや4つ話せる人ならごろごろいるのに、3分前まで手に持っていたはずのスマホの位置すらも把握できないような人類が、僕をはじめとして無数にいるのは、どうしてでしょうか。**それは、「復習」ができていないからです。**

人間の知識の会得は積み重ねによります。何かの知識を会得すると、ミルフィーユの断層を形成する生地《きじ》群の一枚一枚のように薄い知識層が脳内に形成されます。それは大変にもろく、薄っぺらく、儚《はかな》いものなので、そのまま放っておくとすぐに風化してどこかへ行ってしまいます。ですが一度、生地膜を形成してから、さほど時間を空けずにまた生地の膜をふわっとかけてやれば、二重の生地は思っている以上の保存性を発揮します。

それが、三重、四重と折り重なっていくごとに、知識の膜はどんどん厚みを増し、頑丈になり、存在感を増していきます。こうして**「新しく分かったこと」は「元から知っていること」へと変貌**していくわけです。

これは、自分自身の経験に対しても同じことが言えます。復習というと、勉強した内容だけに通じることのように思えるかもしれません。ですが、自分の行った行動や思考のルートを辿り、その評価を行うのもまた、ひとつの「復習」であるのです。

人間のすべての行動は学習の対象であり、学習のもとになる要素によって構成されています。僕は、「復習」とは**「自らの経験を観察、研究することによって、よりよい選択肢を見つけ出し、次回以降に同じようなシチュエーションに陥った際にはベターな道へ進むことができるよう、準備すること」**を指すと考えています。

ですから、むしろ、勉強における復習の方が限定的な内容と言うべきでしょう。勉強における復習は、多くの場合では「経験した内容の再確認による記憶への定着」を狙うものだからです。

つまり纏《まと》めると、復習の役割とは**「経験した内容を客観的に再確認して評価し、よりベターな対応の可能性を探り、次回以降に向けて自分自身に定着させるために行わなくてはいけない後処理」**です。本章ではこのような意味での「復習」を扱います。PDCAサイクルに例えるなら、C（評価）とA（改善）の部分を担う箇所です。

ただし、単純に振り返りをすればいいというわけではありません。ここで注意すべきなのは「復習にもうまい方法と悪い方法がある」ということです。ここからは、ある程度効果を見込めるような「うまい復習の方法」について、お伝えしていきます。

チェックするポイントを絞っておく

さて、ここからは具体的な方法について考えていきましょう。とはいえ、いきなり観察の実践に入ることはしません。復習するといっても、**いきなり「よし、今日は何をしたかな」と考え始めてはいけない**のです。

なぜならば、復習の本質とは「経験の観察」にあり、観察とは「何を目的として何を観察するのか」という目的がなければ、そもそも成り立たないものだからです。**つまり復習は「過去の自分を振り返って、その良し悪しを判断すること」**であり、そこから未来の自分の役に立つようなことを拾っていくことが目的となります。とはいえ、ひとくちに「過去の自分」といっても、その切り口は無限大です。

そもそもどうして復習しているのかを自覚的にならないまま復習に臨んでも、「なんとなく」で全体を流してしまい、せっかくの学習のチャンスを逃してしまいかねません。学習効率を最大化するためには、「自分の弱点」や「心配なこと」など、特に注視しておくポイントをあらかじめ見つけ、これについて特別に観察を行う必要があります。だからこそ、いきなり復習の海へ飛び込むのは悪手中の悪手なのです。

よい観察を行いたいのであれば、**まず行うべきは「復習の対象」を決める**ことです。何のためにその復習をするのかを自覚したうえで、何について検討するかを事前に決定しておく必要があるのです。つまり、仮に発表の復習をするとすれば、その復習の始め方は「今日の発表はどうだったかな」から行ってはいけないということです。そうではなくて、**「事前に決めておいたポイントと、実際にやって初めて分かった注意事項を確認する」**というように、復習すべき点をある程度絞っておかなくてはいけません。

というのも、一つの出来事を観察して得られる知見や結果は、切り口次第で無限にあるからです。ここに「僕は早口だ」という情報があったとして、これがよいことなのか悪いことなのか、たとえ悪いことだったとして、何が原因として「悪い」と評価されているのか（早口でそれぞれの発声が不明瞭になっているのか、ペースが速すぎて聞き手を置いてけぼりにしているのか、早口からくる威圧感で聴き手が委縮してしまっているのか、など）は、何かについて検討しようと思えば、いくらでもできてしまいます。

ですが、復習はあくまで「今後の選択をよりよいものにするため」の反復学習作業ですから、検討自体は手段であって目的ではありません。ですから、目的に合わない切り口による検討は、「復習」という観点から見ると時間の無駄になる可能性が著しく高く、避けるべきなのです。そうではなくて、**あらかじめ立てた目的を達成するために一番効果的であろうポイントを事前に絞り、その観察を一定の切り口から行う**必要があります。

この「復習の対象」は事前に分かっている場合もあれば、その物事が終わってから事後的に振り返ってみることによってのみ判明する場合もあります。ちょっと入り組んだ言い方になってしまったので、少し噛み砕いて説明してみましょう。

前者の場合。これは、自分の苦手なポイントがあらかじめ分かっているときに立てられるタイプです。例えば、「自分は人前に立つと早口になってしまう癖がある」というように、「元から明らかな弱点が判明している」状況を考えてみましょう。

こういったケースでは、発表前の段階から「早口になりすぎないようにしよう」と注意をするでしょうが、さらに発表後の復習でも「そういえば、今回は早口になりすぎていなかったかな」と振り返るポイントの一つとして押さえられるはずです。このように、「事前に明らかになっている対象」とは、**元から弱点や懸念事項などが判明している場合に、あらかじめ要注意ポイントとして押さえておく**ことを言います。

一方で、後者のケースである「全てが終わった後にのみ判明する対象」とは、事前には全く想定されていなかったアクシデンタルな出来事のことを言います。要するに、「事前にシミュレーションしているときには全く分からなかったけど、実際にやってみて分かった、気を付けるべきポイント」のことです。

「流れを確認した時にはできると思ったのに、なぜか実際にやろうとすると思うように上手くいかない」もしくは、「事前に検討した内容では問題ないと思っても、実行段階になって初めて明らかになった気候や風土、土地柄、時節などなど様々な要因によって失敗する」……そんな経験はありませんか？

皆さんの多くも実際に経験があるとは思いますが、マニュアルやしおりなどを見て流れを確認することと、実際にそれをやってみて初めて分かることの間には大きなギャップがあります。このギャップは、事前には絶対に分かりませんし、どんなことにも起こりうることです。ですから初めて何かをする時に起こってしまうのは仕方がない部分はあるのですが、しっかりと検討することで、次回以降の突発事故の確率を減らすことができます。

これは僕の経験談なのですが、自分ではほぼ完璧だろうと思えるまで勉強した世界史のテストで、あまりよくない点数を取ってしまったことがありました。「勉強不足だったんだろう」と言われればその通りだったのですが、少なくとも、僕の知識不足ではありませんでした。なぜなら、テストに出てきた問題のほとんどは答えがわかっていましたし、実際に僕が思い浮かべていた用語で正解だったのです。それでは、どうして点数につながらなかったのか？

それは、僕が「書き取り」の練習をサボったことにありました。その時のテスト範囲は、よりによって中国史。現代日本ではなかなか使わないような複雑かつ難解な漢字でつづられる人物や施設、事件の名前などが頻出するくせに、絶対に避けて通ることはできない世界史の魔境です。

僕は、「時間がもったいない」という理由から、世界史の勉強をする時にも他の教科などと同じく、音読して覚えるという方式をとっていました。つまり、確かに「ハンコ（班固）」や「チョウケン（張騫）」といった名前を音として覚えることはできていましたし、その人物が何をなした人なのかという意味も頭に入ってはいたのです。

しかしながら、答えとして要求されるのは、もちろん「正しい漢字で書かれた名前」です。意味だけ分かっていればいいんでしょ、と実際に自分がそれを回答する状況を想定せずに勉強した結果、「分かっているのに答えられない」という非常に情けない状況に追い込まれてしまったのでした。

この経験から、これ以降少しでも**「これ、自分は書けるだろうか」と疑問に思った字は、**

とりあえず1回書き取ってみるようにしています。「たかがそれだけ」の対策法ではあるのですが、意外なほど効果があるのも事実でして、これ以降「答えが分かってるのに書けない」という問題は激減しました。

それは、漢字が分からないというケース以外にも、「分かっているけど確証が持てない」というケースまでカバーすることができたためです。「班固」という一見すると比較的やさしい漢字の並びであっても、日本語では使わない組み合わせですから、実際に書いてみると非常に違和感を抱くことがあります。直感で「これは書ける」と思ったとしても、試験会場で100％の確信を得られる答えを作成できなくては知識として使い物になりません。だからこそ、一度書いて、自分の中にある疑念の種を先に潰しておく必要があったというわけです。

先ほども述べた通り、こうした問題は、できる限り事前に潰しておきたいところではありますが、**100％排除することは不可能です**。だからこそ、軽視することなく検討しなくてはいけません。なぜならば「次回以降の類似ケースにおける想定パターンの増加」につながるからです。

仮に「突発的な事故」であったとして、それを「偶然」や「時の運」でごまかしてしまっては、次回以降に同じようなケースがあった時に、やはり同じようなミスを繰り返してしまう可能性が非常に高くなります。反省の目的はいつだって「次の実践で活かすため」でしょう。そのためには、それがどんなに突発的な事故であろうと、**今回の実践で起きた自分の想定漏れを確認し、次回以降は漏れのないように自分の注意認識をアップデート**しなくてはいけないのです。

チェックするポイントについては、できれば事前の段階で箇条書きにしてメモに纏めておくなどするとよいでしょう。頭の中にニュアンスとして思考が漂っている状態と、実際にそれらを文字として落とし込んでやった状態では、自分の中にある認識が大きく変わることがあるからです。時短のためにも効率アップのためにも、復習のポイントはなるべく明瞭かつ簡潔に纏めておくべきですから、少なくとも箇条書きができるくらいには想定している注意点を纏めておくと、この後の作業が捗《はかど》ります。

100点と合格点と及第点を決めておく（理想・現実・最低ライン）

さて、チェックすべきポイントを決めたら、いざ復習……といきたいかもしれませんが、もう少しだけお待ちください。まだ決めるべきことがあるのです。

いったい何について考えないといけないのか？　それは、**採点基準**です。いくら過去の自分について検討を重ねようと、その結果を評価できなければ意味がありません。確かに「よかった」「悪かった」という評価自体には意味はありませんが、しかし「よかった」と思う箇所はなぜよかったのか、「悪かった」箇所はなぜ悪いのかという理由を明らかにしつつ検討しなくては、やはり十分に復習しているとは言えないのです。

ところで、みなさんはテストの採点作業をやったことはありますか？　僕は、学生の頃から先生のお手伝いで採点をしたり、大学に入ってからも採点のバイトをしたり、家庭教師で生徒の宿題をマル付けしたりと、採点される側としてはもちろん、採点する側としてもとにかくマルバツに縁がある人生を送ってきたのですが、だからこそ本職の先生方には遠く及ばないにしても、採点に関しては多少の経験があります。

では、この採点作業において採点する側が一番重要視しているのはいったい何か、みなさんはわかりますか？　答えは、採点基準です。

もちろん答案が最重要ですし、せっかく作ってくれた答えを全部マルにしたいという気持ちは溢れるほどにあります。実際、国語なんかでは「多分こういうことを言いたかったんだろうな」と意図を汲んであげたくなるような答えが作られているケースも多く、こうした時は非常に迷うのも確かです。

とはいえ、「うーん、多分こういうこと言いたいのかな？　マル！」を繰り返していては、テストの意味がありません。テストである以上は「答えが分かっている人」と「答えが分かっていない人」の間に決定的な差が設けられるようにしなければ、それはテストとして成立していないのです。

ここで重要になるのが「採点基準」です。あまり具体的なことを言うとバイトの規約違反になりそうなのでここには書けませんが、ある程度しっかりしたテストには明確な採点基準が用意されています。これは模試の解答解説などを見ても明らかですし、東大の数学などは採点基準を画一化するために、全受験生の答案をたった一人の採点責任者が全て採点するとまで言われています。

例えば、国語の問題ならば「本文中にあるこの表現があったらプラス3点」「この表現がなければマイナス2点」というように、「分かっているなら入れるはずだよね」という要素が入っていればマルを、入っていなければバツをつけるのです。

あまりに機械的過ぎるのではないかと思われるかもしれませんが、「ニュアンスがあっているからマル」をありにしてしまうと、採点者によって正誤判定の厳しさに揺らぎが生じます。試験であるならば公平性を担保しなくてはいけないので、残念ながらこうせざるを得ないのです。

なぜいきなりテストの採点の話をしたのか、それは、**復習の際の検討においても、これと全く同じことが言える**からです。

先ほどの「チェックするポイントを決めておく」という内容をお伝えした際にも少しだけ書きましたが、復習で一番大切なのは**「何を検討するか」をあらかじめ決めておくこと**になります。というのも、何を何のために再検討するかが明らかになっていなければ、どれだけ考えようとも自分のためになるような結論は得られない可能性が高いからです。

ですが、これだけではまだ完璧ではありません。それぞれの要素について、**「果たしてこれでよかったのか」**と採点していくことが必要になります。復習は過去の自分へのマル付けです。自分の基準でよいので、マルかバツかくらいは答えられなければ、過去の自分から何か教訓を得ることはできません。

とはいえ、ペーパーテストのように「○○があったら3点」というような基準をつけるわけにもいけませんよね。ですから、採点基準の代わりに「○○ができたら及第点」「さらに××ができたら合格点」「さらに☆☆ができたら100点」と**三段階で評価基準を決めておきましょう。**こうすることによって、「不合格」「最低限OK」「まぁまぁ」「最高」の4段階で自分を評価することができます。

この採点基準については個人で決めるべきですが、及第点は「事前に決めておいた目標のうち、最低限のラインを超えていた場合」、合格点は「事前に決めておいた目標のうち、現実的に可能なラインを超えていた場合」、100点は「100%自分の理想とする行動ができた場合」とすると分かりやすいでしょう。

この評価形式のよいところは、「よい」と「悪い」の二分割に陥らないところです。みなさんが何かをなしたとして、その結果が良かったにしろ悪かったにしろ、その中には細かなグラデーションが存在しているはずです。「よい」「悪い」という評価はそれらを単純化しているものにすぎず、誰かに状況を説明するときならばともかく、自分で自分自身を再検討するという非常に細密な判断が要求される場面においては、もう少し細やかな判断基準を用意したほうがよいでしょう。

とはいえ、悪い方向にあまり考えを広げ過ぎても考えものです。そもそも「ちょっと悪い」にしても「かなり悪い」にしても、それはどちらにせよ失敗寄りの結果であったということです。それならば、よかった部分は評価するにしろまずは反省すべきであり、ここのグラデーションはそこまで重要ではないと考えます。

一方で、よい方向については要注意です。僕の個人的な経験によるものですが、人は**「よかった」と聞くとついつい油断してしまいがち**だからです。しかし、先述した通り、一口に「よかった」と言っても、中身はかなり多様です。ちょっとよかったのか、かなりよかったのか、完璧だったのか、このどれに当てはまるかによって相当意識は変わります。「よかった」という印象のみを聞いていると、まるで「かなりよかった」もしくは「完璧だった」かのような印象を受けてしまいます。それでは、例えば「本来は失敗だったが、幸運に助けられて成功した」というようなケースにおいて、不十分な検討を行うことになってしまいます。

ですから、成功したパターンについては「ギリギリOK」なのか「現実的に自分の可能な範囲での最適解を出せた」のか「自分の理想となる動きができた」のか、**どのケースに当てはまるのかを分類する必要がある**わけです。こうすることで「よかった」という結果を得て緩む心を引き締める効果も狙っています。

復習の際に「8掛けした点数」がリアルな現状

みなさんは、「自撮り」をしたことはありますか？　海外では「セルフィ」と呼ばれるこの行為はもはや世界中で大流行しており、最近では観光地に限らずあちらこちらでパシャパシャと写真を撮っている男女の姿が散見されます。「自撮り」専用の「自撮り棒」なんて象徴的なアイテムが登場したのも、もはや随分前のことです。

聞いた話によれば、有名観光地や遊園地などでは待ち時間の間に自撮り動画を撮っている人で溢れているとか……。いいヒマつぶしができたようで何よりですが、自分の顔以外にも見るべきものが溢れている状況で敢《あ》えて自撮りをするという選択ルーチンは、なかなか興味深いものがあるように思えてしまいます。

僕はといえば、友人に誘われるなどよほどのことがなければ自撮りはしません。なぜならば、そこまでして自分の姿を見たいと思えるほど自分自身の容姿に自信がありませんし、そこまで特別なものだとも思えないからです。ところが、最近のカメラアプリは性能が非常に向上しており、実物よりもさらに綺麗に美しく映る加工がなされる機能がデフォルトで付属しているケースも多いのだとか。確かに、実物よりも美しく映るのならば、わざわざ自分で自分を撮影するという行動にも納得がいくような気がします。ここでいきなり手のひらを返したのは、同じようなケースが脳裏に浮かんだためです。

人間の脳みそは優しいウソをつく

例えば「お風呂上がりのシャワーを浴びたばかりの自分を鏡越しに見ると、朝の寝起きの自分よりも2割増しくらいでシャキッとして見えた」なんて経験はありませんか？「意外と悪くはないな……」なんて思ったりして調子に乗るのですが、その3分後には魔法は解け、残るのはいつもの残念極まりない自分……。鏡越しに見る自分は無意識に補正がかかるので、実物よりも多少マシに見えるという話を聞いたことがありますが、もしもそうなら**我々の脳みそは優しすぎるウソつき**です。

さて、どうしていきなり自撮りやお風呂上がりの鏡越しの自分、ということについて話し始めたのかと言えば、これもまた復習時の「あるある」だからです。つまり、**「復習で振り返った先にいる自分は2割増しに見える」**のです。だからこそ、振り返った先にいる自分からは、**敢えて2割の減点を食らわせなくてはいけません。**そうでもしなくては、美化された誤った自分像を評価することになってしまい、客観的な視点でのより正確な振り返りにならないからです。

例えば、僕の場合は、自分で振り返ったときに「今日の自分は100点だったな」と思ったのであれば、その点数を0・8倍して「今日の自分は客観的には80点だった」として評価します。もし自分が100点だと思っていても、周りの人から見れば粗《あら》が目立つということだって、ざらにあるからです。だからこそ、**最初に思った数字を0・8倍した点数こそが、周りの人々から見た自分の動きの評価点**だと思ったほうがよいのです。

そんな大げさな、と思われるかもしれません。それは自撮りや鏡の話であって、行動や思考についてはこれが適用できるはずもない、と思いたい気持ちも分かりますが、僕はむしろ「行動や思考」だからこそ、2割増しに見える傾向が強いと思っています。

立派な人物像として「自分に厳しく他人に優しい」というものがあります。他人の失敗や不出来には寛容に接してくれるが、自分自身のそれについては何倍も厳しく確認し、己を律するという人物は、確かに立派で偉大な人柄を持っているといえます。ですが、この人柄が「立派で偉大」と言えるということは、すなわち、こうした人物が非常に少ないということをも表しています。つまり、僕を含んだ人類の多くは、非常に残念なことに**「自**

分に優しく他人に厳しい」のです。

こういったケースで典型的なのは、スポーツ観戦などでやたらとヤジを飛ばす人です。特に高校野球の観戦などへ行くと、なぜか関係者でもないのに自信ありげな迷采配を下している方がいらっしゃるのを、目にした経験はありませんか？　自分が別に一流としてプレイできるわけでもないのに、「アレはだめだ」「自分ならこうする」という意見を並べるような方はこの典型と言えるでしょう。

面白いのは、こういった方々に対する偏見があることです。先ほどの例では、多くの場合で受け手のほうが勝手に「年配者に多いだろう」と解釈してしまうそうなのですが、実はこういった人は老いても若くても、もちろん男女も関係なく発生しうるようなのです。これは、実際に僕が最近経験した出来事からも分かりました。

僕は最近「Ａｐｅｘ　Ｌｅｇｅｎｄｓ」という、Ｅ－Ｓｐｏｒｔｓにも起用されるような対戦型ゲームにハマっています。このゲームのプレイヤーのボリューム層はおそらく10～20代と思われますが、一流プレイヤーのプレイングを記録した動画をＹｏｕＴｕｂｅなどで観ていると、ほぼ確実に「こいつはへたくそだ、自分ならこうする」と、聞いてもいないのに「最善手」を教えてくれる方がワラワラと沸いてくるのです。

もちろん、こういった意見の中にも「正解」があったり参考になるものがあったりというケースもあります。しかしながら、プロやセミプロレベルのプレイヤーならそこまで想定しての一手であることも珍しくないですし、実際にやっている人とそれを見ている外野では状況も立場も何もかも異なります。そして、何よりも、こういった自称アドバイザーの方々は、結果まで全てを把握したうえで事後的に采配を下すことができますが、現場で戦っている人々は手探りでよりよい未来を選択しているのです。

全ての結果が明らかになっている状況で「あの時はこうするべきだった」と意見するのと、1秒後すらどうなっているのか分からない状況下で「こうしよう」と判断を下すのは、かかるコストに天と地ほどの差があります。全部が「お見通し」になっている時点から過去を振り返って色々と並べたてるなんて、赤ん坊でもできるほどに簡単なことだと思いませんか？

ですが、残念ながら、検討を重ねている本人は、自分自身の判断にそのバイアスがかかっていることに気づけません。むしろ、「どうしてあんなに他人の判断は劣っているのだ」と見えてしまいがちなのです。

これは復習についてもやはり例外ではありません。しかし、他人の判断に口出しするのと大きく異なるのは、観察の対象が「あの時の自分自身」であるということでしょう。自分を自分で裁断することの難しさはここにあります。どうやっても自分自身への色眼鏡を消すことができないのに、**なるべく客観的な視点から自分で自分の判断を検討しなくてはいけません。**

では、客観的な視点から己を見つめ直すコツはどういったものなのか。まず、完全に客観的な視点を己の脳内にインストールすることは、おそらく不可能です。「完全な客観」とは、己の主観的な判断が一ミリも入っていない状況ですが、思考・判断をするのが自分自身である以上は、主観的な要素を完璧に排除することはかなわないからです。

ですが、「客観的な評価」を得る方法はあります。**それは、「他人の視点から見た自分の点数」を予想すればよいのです。**結局、大事なのは「客観的に評価する」というプロセスではなく、「客観的に評価された自分」の結果です。ですから、疑似的に客観評価を得るために、**「復習の際の2割減」**を行うことで、自分への甘さを消しながら、他人から見た自分像をとらえることができるようになるのです。

別の可能性も検討する

みなさんは「パラレルワールド」という概念をご存じでしょうか?「平行世界」と訳されることもあり、要するに「この世界によく似ているけどちょっとだけ違う別の世界」のことです。

この考えでは、「世界は色々なパターンが存在し、それらが平行に交わることなく、それぞれの世界がそれぞれの時間を過ごしている」とされています。それぞれの世界は異なっており、「もしも江戸幕府が現代まで続いていたら」のような大それた違いのある世界から「もしも今朝の朝ごはんがパンではなくおにぎりだったら」というような些細《ささい》な違いまで、異なり度は様々です。

勘のいい方は察したかもしれませんが、これはSF作品などによく出てくる概念です。「いま私たちが生きているこの世界のすぐ隣に、よく似ているけど違う世界が存在している」なんて、ロマンあふれる話だと思いませんか? 難しい話だと思われたかもしれませんが、例えば『ドラえもん』に登場する「もしもボックス」は、「もしも○○なら」と発話することによって、その発話内容に沿った平行世界を生み出すパラドックス生成装置です。そう考えると、意外と簡単な話に思えるかもしれませんね。

とはいえ、これは非現実的な話だと断ずることもできないらしく、僕はあまり詳しくないのですが、現代物理学ではパラレルワールドの存在が割と大真面目に議論されるケースもあるのだとか。もしも本当にこの世界の隣に別の世界が存在していて、ちょっとだけ違う日常を謳歌しているのなら、少しだけ覗いてみたくなりますよね。

わざわざこの話をしているのは、みなさんにＳＦの布教をしたいからではありません。**この平行世界の概念が、復習という作業と非常に相性がよいので、ぜひこの考え方を取り入れてほしい**のです。

順を追って話しましょう。ここまでで、みなさんは復習をする際に、何について復習を行うかを決め、採点基準についても決定し、自分の振り返った時の点数は厳しめにつけないといけないということを学ばれたと思います。

ですが、これだけでは復習は足りません。自分の行動を観察し、研究することは非常に大切なことですが、これを行っているだけでは、まだ効率が悪いのです。「○○したら×だった」を繰り返しているだけでは、ある一つの事柄に対応させることはできても、別のパターンの「△△」という事柄が出てきた時にどう対処するべきか分かりません。

効率よく復習するなら、一度の復習から複数の教訓を得たほうがやはりよいでしょう。

そして、そのためには**「もしも○○ではなく☆☆したらどうだっただろう」**というように、並行世界のｉｆをシミュレートしてみて、初めて効果的な検討ができるようになるのです。

例えば、何か発表をしたとして、そのプレゼンについて復習する場合を考えてみましょう。自分は声が小さく、活舌も悪いので、大きな声ではっきりと話すように心がけた。でも、その結果、口を大きく開けて話すことに集中し、話すペースが全体的に少し遅くなってしまい、最後のほうは若干間延びした雰囲気になってしまった。こんな状況です。

この時、「大声で話すことはできた、声の大きさは適量だった」「早口にはならなかったので、参加者がみんな話を理解できたようだった」「話すペースが遅くなってしまったので、それぞれの内容について話す時間をさらに詰めておき、目安の時間を過ぎたら次の話題へ移るべきだった」などと考えることができると思います。

ですが、これだけでは足りません。ここで挙げた対策方法は、あくまでこの場合にのみ通じる対策であり、他の要因によるアクシデントには通用しない可能性が高いからです。シミュレーションの中で自分を動かし、**「もしも○○だったら」という未来まで想像してみた上で最良の未来を検索して、初めて効率よく復習できたら**といえるのです。

僕ならこの場合だと、「そもそもあそこまで大声で話す必要はあったのだろうか、もしも普段通りに話していたなら、みんなの反応はどうだっただろうか」などと考えて、次回以降に活かせる教訓を得られないか探します。**前提が間違っている場合、それ以降の検討自体が無駄になってしまう**ためです。先に挙げた例の場合、小さくて不明瞭な声で話すよりは、まだ大きくはっきりと話したほうが伝達性能は上でしょうから、そこについてはよかったと判断を下してもよいでしょう。

この検討が終わったら、その次に、「仮に話す内容を一部カットしていたら、論旨は通じなかったのだろうか」「仮に、読み合わせの段階から誰か協力者を募って、プレゼンの練習に付き合ってもらえていたら、客観的な視点からの意見をもらえていたのではないか」など一歩踏み込んだ選択についても検討を重ねます。これらの対策を講じることによって、「時間が足りなくなった」などの**別のアクシデントが起きた時にも対応できる幅が広がる**ためです。

ちなみに、僕はこの復習方法を人と会話した後によく用いています。僕は毎回人と話す際に、「どう切り返したらこの場を一番うまく盛り上げることができるだろうか」と考えながら会話を続けるように心がけています。その上で、上手い返しを思いついたとしても咄嗟《とっさ》に返すのではなく、その「上手い返し」はあくまで「いくつかある会話の選択肢の中の有力候補の一つ」として、キープしておくのです。

そうしたことを全てした後で、複数の返答の選択肢を吟味し、なるべくその場に一番合った返しを選択して発話するように心がけています。上手い返しといえども、全ての場面において万能なわけではありませんし、相手との関係性やその場の空気感、「返し」の内容などを鑑《かんが》みて、総合的に返答を決定するほうが、結果的にはよりよい関係性を築くことができると考えているためです。

そして、会話が終わった後には「さっきはこう返したけど、相手の反応を見る限りでは、もう少し砕けた方向性の返答のほうがウケはよかっただろうか」「あのタイミングで○○さんに話を振ってしまったが、あそこはもう少しこちらで間を持たせてから話を振ったほうが、よりトークが盛り上がっただろうか」などと考えます。こうすることで、次回以降の全く別の人との会話の際にも反省を活かすことができるのです。

また、勉強などにも活かすことができます。勉強をしている際に、分からない問題が立ちふさがってくる機会もあるでしょう。いくら考えても答えがわからないので、解説を見て考え方を学び「なるほど」と思ったとします。この時に**自分の考えていた答えの方向性**

と合わせつつシミュレートに加えることで、さらに理解を深めることが可能になるのです。

これは僕が受験生時代の話ですが、ある図形の数学の答えが、いきなり「点Pを座標（0，0）に固定する」という書き出しで始まったことがありました。正直、なぜその発想に至るのか意味が分かりませんでしたが、「なるほど、この問題はそのほうが考えやすいのだな」と自分を納得させました。そうして、「それでは、もしも座標をおかなかったらどのように考えればよかったのだろう」「もしも、この点Pではなく、こちらの点Aを座標（0，0）に固定していたらどうなったのだろう」というように、示された答えとは別の角度からも考えるようにしていたのです。これによって、「なぜその方法を用いるのか」がより納得できるようになります。さらに、その問題だけではなく、図形に関する問題へのアプローチ方法全般に対して、より深い理解を得ることができたので、受験の際には大変心強い味方となってくれました。

「もしもこうだったら」の視点を忘れない

ここまで「別のパターンを」と何度も繰り返してきましたが、そもそもこれをするためには**「選択肢」を想定しながら生きていくことが必要不可欠**になります。とはいえ、これは難しいことではありません。生きている以上は、何をするにしても、絶対に選択肢は浮かんできますし、もしも選択肢が見えないのであれば、それは無意識のうちに選択をしているということだからです。

卑近な例でいえば、「お腹がすいてきたな」と思った時、なにか軽くつまめるものを食べるのか、我慢するのか、もしくはガッツリ昼食や夕食の時間としてしまうのか、これだけでも一つの立派な選択肢といえるでしょう。または、休日に近所のスーパーへ買い物に行った時に、同じアパートに住んでいるお隣さんを見かけた時、その人に声をかけるのか、はたまた気づかないふりをするのか、こういったシチュエーションなら、みなさんも思い浮かべやすいのではないでしょうか。

ある事柄に対して何かしらのアプローチをとる時、きっとみなさんの脳裏に浮かぶのは、3個から5個程度だと思います。ですが、選択肢は目に見えないだけで無限大に広がっているのです。例えば、「その場では全く意味がない選択肢」であったり「実行不可能だから無意識に除外された選択肢」であったり、はたまた「そもそも思いつかないほどトリッキーな選択肢」であったり……。「それが選択肢として提示されていない理由」は様々ですが、それでも可能性としては僅《わず》かにでも残っています。

そうして実現可能なものを選んでいって、ようやく2つか3つ程度の「現実的に可能な選択肢」が残ります。最初から「究極の1つの答えしか存在しない」という場合はほぼありえません。何か行動を起こす時には、「自分で選択した、ただ1つの選択」と「選ばれなかった無数の選択肢」とに分かれていきます。

なぜこの節の冒頭でパラレルワールドの話をしたのかといえば、この選択によっても平行世界が分岐していくからです。そして分岐した先の未来を考察し、いま自分がいる世界線と「もしも」の世界の世界線とを比較して、どちらの世界のほうがより自分にとって都合がよい世界であるかを考えることで、次の選択を迫られた時にも、より望ましい選択を行うことができる可能性が高まります。**復習とは、選択の岐路に立った自分を見つめ直すことで、次の分かれ道に立った時、より有利な選択を行うためのシミュレーションをする行為**でもあるのです。

とはいえ、いきなり複数の選択肢を想像して検討していくのも大変なことだと思います。そもそも、「もしもこうだったら」という想像をすることすら、慣れていないと大変です。ですから、最初の段階では別の人の選択を自分の「もしも」だと仮定して考えてみることをオススメします。他の人が自分と同じような状況に立った時にどのような選択をするのか、その結果、どのような効果が予想されるのかを聞いてみるだけで、シミュレーションの精度の向上に役立ちます。

逆に、自分が自分以外の人の立場に立った時にどのような選択をするのかをシミュレートしてみるのもよいでしょう。ただし、「自分なら」という枕が付くということは、自分補正がかかってしまうということでもあります。自分自身に対するプラス補正がかかっているということを念頭に置いた上で行うと効果的です。

なるべく早いうちに復習をする

僕の高校時代の恩師が口癖のように繰り返していた言葉に**「鉄は熱いうちに打て」**というものがあります。これは要するに**「問題を解いたり新しいことを学んだりしたなら、なるべく早いうちにそれらの復習をしたほうが、学習効果は高まりますよ」**ということです。

復習という観点から見るとこれ以上の教訓はないほど「復習」の本質を表しているといえますし、復習を推奨し続けていた恩師の慧眼《けいがん》には恐れ入ります。さすがは教育と学習のプロだといえるでしょう。

もしもみなさんがなるべく効率よく復習をしたいと思われているのであれば、最高の効力が得られるのはやはり、何かを選択したその直後でしょう。例えば、「イエス・ノー・クエスチョン」をされた際に、答えなかったほうの選択肢ではどうだっただろうか、もしも「一度持ち帰って検討させてください」と言ったらどうだっただろうか、などについての検討を、その返答をした直後に相手の反応を見ながら行うのです。

これはちょっと難しすぎるかもしれませんが、それでもみなさんも無意識下で行ったことがあると思います。例えば、恋人や友人と話している最中に、ついつい失言してしまった時など「あー！　やってしまった！」という後悔とともに、「○○と答えるのではなかった、そうではなくて△△だと答えるべきだった」と考えながら気まずい空気を乗り切った経験はないでしょうか。

人間、生きていけばそのような修羅場のひとつやふたつ、出合うものですが、そういった時に限って、なぜか頭が急速に回転し、助かるための道筋を検索し始めるものです。これこそが復習の究極系である「物事と同時進行で復習する」ことなのですが、とはいえ、これはかなり極端な例であり、これを日常的に行っていたらさすがに脳みそがパンクしてしまいます。

ですから、「同時進行の復習」はあくまで理想形だとした上で、次に現実的に可能なラインについて考えてみましょう。そうすると、**「物事が終わった直後に復習を行う」**というものが出てくるかと思います。

ここまでに復習すべきポイントを絞ったり、その基準点を設けたり、というように復習する際の前準備を行ってきましたが、これらはすべて「復習の際の簡略化」を狙ってのことでした。いきなりゼロから始めるのは大変なので、ある程度目星を付けることで、短い時間で効率よく検討を重ねることができるようになるのです。

忙しい社会人の方々にとっては、いちいち考え込む暇など無いかもしれません。きっと学生の僕には計り知れないほど忙しい日々を送っていらっしゃるのだと思いますが、それでもたった一つの検討事項について考えてみるということならできるのではないでしょうか。

ですから、何か物事が終わった後には、**一番気になったことだけを反芻《はんすう》して、検討を重ねてみましょう**。そこだけだとしても、次につながるものを得られるでしょうし、それでレベルアップすることができれば、それだけでも復習の本懐を遂げることができます。

また、さらに言うならば、たった一つのことについてのみ検討するというのも逆に難しいものです。振り返れば振り返るだけ、粗《あら》はどんどん出てきますから、あれもこれも気になってしまうでしょう。**出来事の直後に一つだけ振り返る**ということが、後々の総復習へつながりうるのです。だからこそ、「たかが一つ」と軽んじることなく、「鉄は熱いうちに打て」の精神を大事に、まずは最重要項目についてのみでも、**すぐに復習する癖**をつけるようにしていただければと思います。

復習を効率よく行える場所を見つける

ここまで復習のことをお伝えしてきましたが、きっと「いや、わざわざそんなことをするために時間を割《さ》いていられないよ」と思われた方も多いのではないでしょうか。忙しい現代人にとって、もはや時間は最高の貴重品です。将棋の一手を手紙に書いては送り、気長に一局を打っていた時代とは違って、いまでは老若男女問わず1秒たりとも無駄にすまいと時間を惜しんで生活しています。

確かに振り返りの時間も必要であることは分かったとしても、それができるかは全く別の話。「健康のためには毎日の筋トレがいいですよ」と言われても「いや、そんな時間ないから」と思ってしまうのと一緒で、実行に移すことができなければ、どんなに効果的かつ魅力的な方法であろうと、絵に描いた餅であることには変わりないのです。

それでは、この復習の方法もまた、理想論であって実効性に乏しいものなのか、と言われれば、そうではないと僕は考えています。復習のためにわざわざ時間をとることが難しいのであれば、**もともと何かで使っている時間の上に復習の作業を重ねてしまえばよい**のです。というのも、復習は頭の中でシミュレートするだけの作業ですから、ノートとペンなどの補助器具を除けば、いつでもどこでもその場で実行可能なことなのです。

そんな時間はないと思われるかもしれませんね。ですが、探そうと思えば、思っている以上に何かをしながら復習できることが多いことに気づかれるでしょう。例えば、僕の場合は、自転車での通学時間の帰り道や入浴の時間、そして布団に入ってから眠りに就くまでの少しの時間が毎回この復習と検討の時間でした。なぜだかこうしたときには考えが巡り、新しい発想が生まれたり、反省をすることができたのです。

僕がこれに自覚的になったのは、小学4年生頃のことでした。当時、僕は『ゼルダの伝説』というゲームに夢中になっていたのですが、あるステージでどうしても突破できないギミックが登場し、数週間以上も苦しんでいました。

そうして、ある日も床に就いた後にふらふらと考え事をしていると、突然その難関を突破するための解法を閃《ひらめ》き、実際にその方法でステージをクリアすることができたのでした。これ以降、僕は寝る前になると、その時に一番夢中になっていること（大半はゲームですが）が脳裏に浮かんでくるようになり、そこでシミュレーションを行うようになりました。『パズル&ドラゴンズ（パズドラ）』や『キャンディークラッシュ』というゲームが流行ったときには、目を閉じると目の前にパズルの盤面が浮かんできて、これでパズルを解く練習をしていました。これらのパズルゲームには、ある程度の型があり、「こういった形の時にはこのピースを動かすと高得点が狙える」という型を脳裏に浮かべては、**それを想像の中で解いてみて、実践に向けて練習を重ねていた**のです。

また、登下校の最中に自転車を漕いでいる時には、その日にあった出来事を総回想して反省点を見つけ、なぜそうなってしまったのか、もしもそうしなかったらどうなったのかなどをいちいち考えては検討していました。例えば、その日の会話で少し気まずい雰囲気になってしまった時には、どうしてそのような雰囲気になったのか原因を考え、その発端となった一言や出来事を探り、その出所を確かめて、次からそのようなことにならないようにするには、どうすべきかを考えたのです。これは、コミュニケーション弱者であった僕にとって、大変よい練習になりました。今でこそ、ある程度物怖《ものお》じせずに人と話すことができるようになっているのも、全てはこの練習のおかげだと僕は考えています。

ところで、これは後から知ったことなのですが、寝床や乗り物に乗っている最中というのは、なかなか考え事に適した環境であるそうです。というのも、中国には「三上《さんじょう》」という古い言葉がありまして、これは「馬上（乗り物に乗っている最中）」「枕上《ちんじょう》（寝床）」「厠《し》上《じょう》（トイレ）」という考えることに適した3つの場所を指しています。

軽く調べたところによると、これは北宋の時代に活躍した中国の偉人である欧陽脩《おうようしゅう》が残した言葉だそうです。1000年も前に活躍して、今も歴史の教科書を見れば絶対に掲載されているような超A級の偉人すらそう言っているのですから、やっぱりこれらの場所にはそれなりの効果があったのではないかと思っています。

とはいえ、僕の感覚だとトイレはあまり考え事には向いていないと感じてしまいます。もちろんその逆の人もいらっしゃるでしょうから、やはり個人個人によって差があるというのも確かでしょう。まずは「三上」を筆頭にしつつ、**自分が本当に落ち着き、頭が働く場所を探してみるとよい**のではないでしょうか。

【第５章まとめ】

ここまで、復習について多くの角度から考察を重ねてきました。一口に復習をするといっても、そのやり口は本当に様々です。

単純に自分の辿《たど》ってきた道のりを振り返るだけでも、それはもちろん復習と呼ぶにふさわしいものでしょう。ですが、自分の辿らなかった道のりを他の人ならどう進んでいくのか、などを考え、比較検討することによって、たった一本の道筋が無限の広がりを見せてくれます。

復習の厄介な点は、その材料の幅の狭さです。自分自身の体験からしか復習することはできませんから、必然的に、その教材を「自分の取りうる選択肢」の中から選ぶことになってしまいます。

最近、Ｇｏｏｇｌｅなどの検索エンジンの発展により、ウェブ広告などはそのユーザーの属性に合ったものが表示されやすくなっているようです。例えば、僕のウェブ広告にはゲームの広告やマンガアプリの広告、そして20歳半ばの男性という情報からか、なぜかマッチングアプリの広告や薄毛治療の広告などが頻繁に表示されるようになっています。

しかし、僕の友人に話を聞いてみると、アイドルオーディションに関する広告や、脱毛や美容に関する広告が表示される人もいれば、就活について調べているからなのか就活イベントの広告が頻繁に表示される人もいるなど、本当に様々です。

これ自体は別に悪いことでもない、むしろ興味のある内容が表示されやすくなっているのでよいことのように思えますが、大きな問題点を一つはらんでいます。それは、自分の興味がある内容・情報しか摂取できなくなるということです。

インターネットという無限の広がりがある大海原《おおうなばら》に飛び出しておきながら、自分の見える範囲の情報しか目に飛び込んでこないのは、大変もったいないことです。それでは結局、自分の世界が広がることはありません。自分自身では全く想像もしなかった世界や情報について触れる機会が失われてしまいます。

復習についても全く同じことが言えます。自分自身の経験を検討するという特性上、自分の世界観の中でしか検討を繰り返すことができないのです。自分の取りやすい選択、考えやすい行動などについても検討の余地はあるでしょうが、それでも回数を重ねるにつれて学習効果はどんどん目減りしていきます。

そうした時に、自分が取らなかった選択肢について「もしも」と考えてみることや、別の人がどう行動するかについて思考を巡らせることが有効なのです。これらは往々にして自分ならば絶対に取りえない選択を行うことがありますが、だからこそ、自分の中に新たな可能性という風を迎えることにつながります。

対応力とは、持っているカードの枚数です。どれだけ多くの手を選択肢として準備できているかによって決まります。ある方向性に特化するのも悪くはありませんが、現実問題、ひとつの手だけでゴリ押せる場合のほうが少ないでしょう。ですから、やはり色々な手段を用意できているほうが、総合的な対応力は上になりやすいです。

そういった観点から見ても、やはりたった一つの物事についても様々な視点から検討を重ねることが、いつかの有効打になりうるのです。たかだか復習と思われるかもしれませんが、これもまた、いつかの苦労を減らすことに繋がります。これを習慣とすることによって、未来の考える時間を節約していくことができるようになるのです！　ですから、いくら面倒くさくても、これは必要経費だと思って、何か行った後には必ず復習の機会を設けるようにしてください。

おわりに

元々ここまで紹介してきた内容は、高校生の頃の僕が将来のことを何も考えていなかったから生まれました。僕の通っていた高校は東大進学者が全く出ないような「非進学校」でした。進学実績は早慶が足して10人以内、ＭＡＲＣＨレベルでも30人から40人程度というレベルです。しかも、僕の合格した年の早慶合格者のうち、８割ほどは僕の併願合格によるものでした。

東京大学に毎年卒業生を輩出するような高校に通っていた人から見れば信じられない世界だと思います。そんな状況では熱心に勉強する人も多くはいませんから、僕もそのような人々に流され続けて、普段は1秒たりとも勉強することなく高校3年生までを過ごしてきました。そこまでレベルの高い学校ではなかったので、授業の内容を真面目に聞いてさえいれば成績トップを取り、学費免除の特待待遇を維持し続けられたということもこれに拍車をかけました。

僕はこのような高校生活を送ったことについて全く後悔していません。中高6年間に寝食を忘れて打ち込み続けた吹奏楽部では、「社会に出るうえで役に立つかどうか」というラインを超越した、人間として生きていくうえで最も大事だろうと思えるようなことを学ばせてもらいました。

しかし、後悔はせずとも、これが一時的にとは言え、僕を窮地に陥らせる選択であったことは事実です。**高校3年生になって「自分は何も準備せずに受験の年を迎えてしまったこと」と「受験本番を迎えるに当たって、準備するべきことは膨大な量であること」に気付きました。**本試験の日まで一年を切っているのに、学ぶべき内容は少なく見積もったとしても3年分はかかってしまいそうな量がありました。ここで考え出した苦肉の策が**「最低限必要なことを最大効率で実践して試験本番に間に合わせる」**ということでした。

僕は東京大学に入学してからも受験生時代のような大量の課題、読むべき本に立ち向かい続けています。それは、大学という機関は研究機関であり教育機関ではないというところに起因するものであると思っています。

僕自身の能力は全く高いものではないので、非常に苦戦させられることが多いのですが、やはり窮地に陥った時には、僕の原点たるこの勉強法を思い出すことで、なんとか毎日の学習を続けられています。

この本の執筆にあたって、一度周りの東大生に「この本に載っているような勉強法を試したことがあるか」とアンケートを取ったことがあります。すると、8割近い学生が「普段から実践している」というように回答していました。

回答者数は百数十人程度で有意性をここに認めることは難しいでしょうが、ここから認められることは「少なくない数の東大生が、効率的な勉強方法を独自に開発・実践している」ということです。そして、多くの東大生がきっと似たようなところに辿り着いているのだと思います。

ここまで述べてきた方法は、全て僕が高校3年生の時に考えたオリジナルの思考方法です。ただし、これはありとあらゆる方法論について言うことができるのですが、これらはあくまで「僕が考えた僕にとって一番使いやすいように最適化された方法」であって、残念ながら「万人に100%当てはまる誰にでも使いやすい方法」ではありません。100人いれば100通りの考え方、性格、体質があって当然で、全員が今すぐに100%使いこなせるような方法を生み出すことは残念ながら難しいのではないかというのが僕の考えです。

ただ、100人全員が使いやすさを感じることはなくとも、ほとんどの人にとってある程度使いこなせる方法であるとも考えています。ここまで読んでこられた方ならば、きっとより良い効率化の方法を考えていけることでしょう。

キーワードは「最低限必要なことを最大効率で実践する」です。常に目的があることを意識して立ち回ることを考えて、ここに書いてある方法を段々と、あなたにとって使いやすい**「あなた式」の方法**へと変えていってください。

布施川天馬（ふせがわ てんま）

1997年生まれ。世帯年収300万円台の家庭に生まれ、幼少期から貧しい生活を余儀なくされる。大学進学を考えたときに金銭的な事情や地理的な事情から、無理なく進学可能な大学が東京大学のみに絞られたため、東大進学を志すようになる。高校3年生まで吹奏楽部の活動や生徒会長としての活動をこなすが、自主学習の習慣をほぼつけないままに受験生となってしまう。予備校に通うだけの金銭的余裕がなかったため、オリジナルの「お金も時間も節約する勉強法」を編み出し、一浪の末、東大合格を果たす。
現在は、自身の勉強法やその学習方法を全国に広めるための「リアルドラゴン桜プロジェクト」を推進。また、全国の子供たちを対象として無料で勉強を教えているYouTubeチャンネル「スマホ学園」にて授業を行うなど、精力的に活動している。自らの体験をもとに学習法・時間術の記事を執筆するほか、近著に『東大式時間術』（扶桑社）がある。

扶桑社新書 437

東大式節約勉強法
世帯年収300万円台で東大に合格できた理由

発行日 2022年7月1日　初版第1刷発行

著　　者………布施川 天馬
発 行 者………小池 英彦
発 行 所………株式会社 扶桑社
〒105-8070
東京都港区芝浦1-1-1 浜松町ビルディング
電話 03-6368-8870（編集）
03-6368-8891（郵便室）
www.fusosha.co.jp

DTP制作………Office SASAI
印刷・製本………株式会社 広済堂ネクスト

Printed in Japan　ISBN 978-4-594-09200-9